Angélica

Valerie
Cali, Agosto 19. 2015

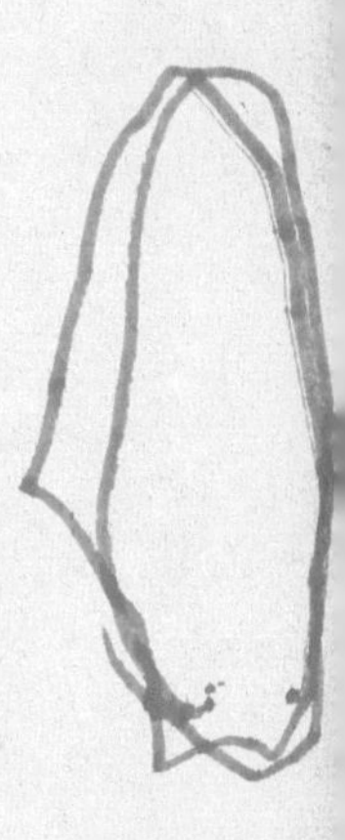

Angélica

Lygia Bojunga

Traducción de Montserrat Ordóñez
Ilustraciones de Edgar Ródez

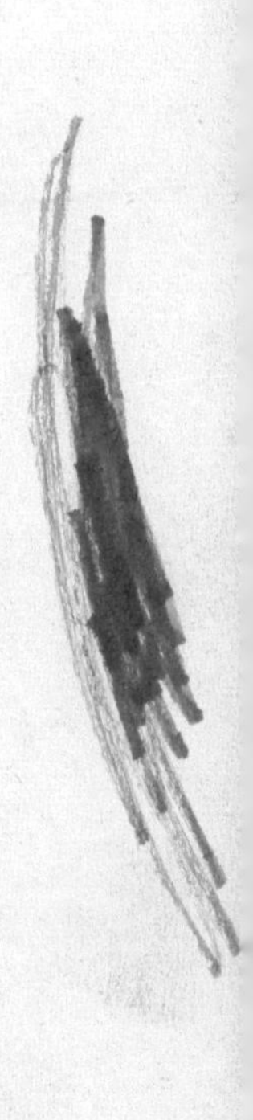

http://www.librerianorma.com
Bogotá, Barcelona, Buenos Aires, Caracas,
Guatemala, Lima, México, Miami, Panamá,
Quito, San José, San Juan, San Salvador,
Santiago de Chile, Santo Domingo.

Título original en portugués:
Angélica
de Lygia Bojunga

ISBN 10: 958-04-0805-X
ISBN 13: 978-958-04-0805-5

Febrero, 2015

Impreso por Editorial Buena Semilla
Impreso en Colombia

www.librerianorma.com

Traducción: Monserrat Ordóñez
Ilustraciones: Edgar Ródez
Edición: Cristina Puerta y Ana María González
Diagramación y armada: Blanca Oliva Villalba P.
Elaboración de cubierta: Patricia Martínez Linares

C.C. 26011026

Contenido

Para Peter y Flavia
de Silveira Lobo

Capítulo I
El puerco

Le habían dicho:

—¡Qué buena es la vida!

Él era muy pequeño todavía, no sabía bien qué era vivir, estaba loco por saberlo de verdad; pensó un rato, acabó preguntando:

—¿Cómo se entra en la vida? ¿La vida tiene una puerta? Y después de golpearla... ¿abren?

Le contestaron riendo:

—No, la vida no tiene puerta. Nacemos en el cielo y después las cigüeñas nos traen a la tierra.

Él nunca había visto una cigüeña, pero de todas formas le pareció que la historia estaba mal contada y acabó diciendo que no la creía. Entonces le dieron otra explicación:

—Es Papá Noel el que nos trae a la vida.

Bajó los ojos: sabía muy bien que Papá Noel era inventado. Entonces le dijeron, señalando con el dedo:

—Sí, hay una puerta para entrar. Queda allá lejos.

Miró desconfiado hacia allá.

—Si te portas bien, llamas a la puerta de la vida y te abren. Si no te portas bien, no te abren.

Él continuaba mirando a lo lejos. Mirando y pensando: "Qué vida ésta, me están engañando de nuevo". Suspiró. Cuando creciera, no iba a dejar que le hablaran de esa manera; cuando creciera, no iba a dejar que nadie se riera de las preguntas que hacía. "¿Y si fingiera que creo lo que me dicen los grandes? ¿Y si fingiera que allá a lo lejos de verdad hay una puerta? ¿Y si voy allá a golpear y me abren la vida? ¿Y si entrara?" Se rio. "Apuesto a que si yo entrara se quedarían con una cara de este tamaño". Caminó decidido hacia la puerta. Golpeó. Abrieron. Le miró la cara a la vida y le gustó. Puso su nombre en un enorme libro que guardaba el nombre de todo el que pasaba por allí, y entró.

Así hacía con todo lo que no entendía: fingía creer en las respuestas que le inventaban y punto. Y pensaba: "Cuando crezca lo voy a entender todo; cuando crezca ya no voy a tener que fingir". Pero por ahora aún era muy pequeño. Y estaba solo. Porque la vida de los puercos es así: se quedan pronto solos; separan a toda la familia, a unos para comérselos ahora, a otros después.

Pues así es: él era un cerdito. Oscuro, tenía un nudo en la cola (un nudo ciego, para colmo), unos ojos muy vivos que lo miraban todo sin parar y un modo de andar muy divertido, bamboleante y presuroso[1].

Salió por la vida descubriendo, ahí afuera, cada día, algo nuevo: sol, fósforo, color y gente, estrella, avión, casa, máquinas y ruido, autos que pasan. Anduvo hasta donde se acababa la ciudad y allá descubrió flor y bosque, silencio y más color; y, de repente, descubrió un lago. Era muy temprano en la mañana, todo el mundo estaba durmiendo, y el lago también. Un

1 ¡Tenía mucha prisa de crecer!

sueño quieto, que no dejaba que se moviera ni un pedacito del lago. El agua entonces servía de espejo. El puerco se inclinó hacia el agua y se entusiasmó:

—¡Hola! —gritó. Y siguió mirándose. De frente, de perfil, de todas las formas posibles. Guiñó el ojo, hizo gestos, intentó quitarse el nudo del rabo, pero sintió tantas cosquillas que acabó desistiendo (no hay cosa que dé más cosquillas que querer deshacer un nudo de nacimiento), arrancó una hierba del suelo y se la enroscó al cuello como si fuera una corbata, dio unos pasos bamboleantes y acabó decidiendo:

—¡Caramba, vida, tú estás muy bien! ¿Lo sabías? —y entró al agua para abrazarse. Casi se muere de felicidad: nunca había pensado que el agua fuera tan buena. Se convirtió en uña y carne con el lago, no quería que le hablaran de salir de allí, creía que no iba a descubrir nada mejor. Pero lo descubrió. Fue así:

Un día iba andando y de repente oyó: Uuuuuuuuuuuu. Era un pito. Pesado. Sofocado. Ya había oído antes muchas Us, pero ninguna tan buena como aquéllas. Siguió detrás del pito, anduvo un buen rato, acabó por llegar al puerto: el que estaba haciendo U era un barco. Se paró con los ojos muy abiertos viendo el mar, viendo

el puerto, viendo aquel barco tan blanco, tan grande, lleno de banderitas diferentes, que hacía una U tan fuerte.

—¿A dónde va? —le preguntó a la gente que trabajaba en el muelle, llenando el barco de carga.

—Hacia allá —señalaron.

Él miró, pero sólo pudo ver que *allá* era lejos. Tan lejos que vio en seguida que nunca iba a llegar allá. Entonces se quedó el resto de la tarde por allí. Anduvo por la orilla del mar hasta una playita en donde recogió conchas. Volvió al puerto y se quedó viendo el movimiento del muelle, viendo el barco que se fue por la nochecita pitando con su U bonita y agitando las banderitas al viento. Entonces pidió una fotografía del puerto. Y se la dieron. Había un montón de cosas en la fotografía: el barco, el mar, la gente que trabajaba, el cielo, y estaba él —Puerco— mirando el puerto.

Durante muchos días volvió allí. Después se fue a descubrir cosas nuevas. Adoraba la vida; se reía de todo; parecía no haber nadie más feliz que él.

Un día, sin embargo, le dijeron que no podía andar sin rumbo.

—No voy sin rumbo: estoy descubriendo las cosas —dijo él.

—No puedes vivir así: tienes que ir a la escuela, para aprender a leer y escribir.

Y entonces allá fue.

Apenas entró en la clase, les dijo ¡hola! a los compañeros, y se puso a mirar a todo el mundo con atención para ver de quién se haría amigo. Pero lo miraron de medio lado, le respondieron con un hola serio y pequeñitito, y en el recreo nadie se acercó a él. Ni en los otros recreos que vinieron después.

Una tarde, el profesor anunció que iba a haber reunión de padres.

—Yo no tengo padre, señor —dijo él.

—Puedes traer a tu madre.

—Tampoco tengo madre, señor.

—Entonces a un hermano mayor.

—Pero no tengo hermanos...

—Trae a un amigo, y listo.

—No tengo.

Una pandilla de macacos, que se sentaba al fondo del salón (se sentaban allí a propósito para hacer desorden) comenzó a reírse. El puerco vio que se estaban riendo de él y se sintió morir. Pensó: "¿Acaso no me aceptan porque ellos tienen familia y yo no?"

Y el profesor, entonces, sintiendo lástima de él, resolvió contar un chiste, para que todo el mundo se riera y olvidara el asunto. Era un chiste de un papagayo que tenía la manía de fingirse policía. Al puerco le pareció que el chiste era graciosísimo. Se echo a reír, no conseguía parar de reír, se rio tanto que acabó haciéndose pipí en el pupitre. El compañero de al lado se volvió hacia él y le dijo:

—¡Puerco! —y lo dijo con fuerza, con rabia.

La pandilla de macacos, al fondo del salón, soltó una carcajada.

El puerco dejó en seguida de reír y se quedó mirando asustado al compañero: era la primera vez que le decían su nombre. Y lo habían dicho de un modo que parecía que su nombre fuera un nombre feo. Sintió que el corazón le latía de prisa. Acabó la clase y el corazón continuaba latiendo con fuerza. El puerco salió de la escuela y se fue andando despacio, oyendo dentro de la cabeza la voz del compañero que le repetía: "¡Puerco!"

Los macacos pasaron corriendo. Le gritaron "¡Puerco!", y desaparecieron.

¿Por qué decían su nombre de esa manera, poniendo tanta fuerza en el *puer*? Comenzó a sentir una cosa rara y mala que nunca había sentido antes. De repente vio lo que era: era miedo.

Él no tenía casa. Cuando hacía calor, dormía a la orilla del lago; cuando refrescaba se envolvía en un saco de estopa que había encontrado tirado, y se iba a buscar un montón de hojas secas o un tejadito cualquiera.

Esa tarde, sin embargo, estaba tan asustado que por primera vez pensó que le hacía falta un rincón. Sólo de él. Para poder cerrar la puerta bien cerrada. Para que nadie entrara. ¡Para que nadie le dijera puerco!

Corrió hacia el bosque, escogió un árbol bien viejo que tenía un tronco hueco, y resolvió que allí adentro se iba a hacer una casa. Arrancó cortezas de otros troncos, las remendó bien remendadas, trabajó la noche entera, hizo con ellas una puerta. La pegó al árbol. Del otro lado del tronco hizo una ventana, tan pequeñita que sólo podía mirar con un ojo. Ya era de día cuando se mudó: puso el saco de estopa dentro de la casa. Entró en el tronco y cerró la puerta. Bien cerrada.

Y de ahí en adelante las cosas fueron empeorando. Cuando aparecía algo sucio en la clase, decían en seguida:

—Sólo puede haber sido el puerco.

Y si algo desaparecía, decían:

—Es claro que fue el puerco.

Si lo veían solo estudiando en un rincón, en seguida se acercaba alguno para decirle:

—¿Estudiar para qué, Puerco? Tú siempre serás un puerco, tu vida será siempre una porquería.

Y bastaba que la pandilla de macacos oyera eso para que uno preguntara:

—¿Qué es la vida de puerco?

Y los otros comenzaban a gritar juntos:

—¡Porquería, porquería, porquería!

El puerco, entonces, desistió de estudiar y se salió de la escuela.

Aquel día, cuando pasó por el lago y se miró, ya no se vio bien, no jugó a hacer gestos, no pensó en abrazarse. Se quedó mirándose la cara en el agua como miramos algo que no nos gusta; se quedó mirando el nudo ciego que tenía en el rabo y sintió que nunca, nunca jamás, iba a poder deshacerlo. Después puso fuerza en la primera sílaba y dijo:

—¡Puerco! —y se fue, comprendiendo por el camino que la mayor desgracia de su vida había sido nacer puerco. Miró la vida. Ya no le encontraba nada bueno ni bonito. Y gritó entonces a todo lo que veía:

—¿Tengo la culpa de haber nacido puerco? ¿La tengo?

Nadie le hacía caso.

—¿Fui yo el que escogió nacer puerco?

Pero nadie le hacía caso.

Los ojos le ardían, así que apenas llegara a casa iba a llorar hasta más no poder. Apretó el paso: le habían dicho que un hombre sólo llora a solas y encerrado, y él (tan bobo que se lo creyó) se lo creyó. ¡Bobo! Tantas cosas que podría haber nacido: rey, príncipe, pavo real, corderito blanco que a todo el mundo le gusta, pajarito, dueño de una fábrica de automóviles. Incluso podría haber nacido una casa bonita, o un árbol que todo el año da flores (o da mangos), ¡tantas cosas que podría haber nacido, y él había nacido puerco! Corrió. Ya no podía aguantar las lágrimas. ¡Tenía tanta rabia! Tantas cosas que podría haber nacido, ¡y había nacido puerco!

Iba llegando a casa cuando, de repente, se preguntó por qué su vida tenía que ser siempre una porquería. ¿Por qué?

Paró, tomó aliento, se sentó en una piedra. ¿Y si buscara una salida? Se fue olvidando de las lágrimas, de la rabia, pero ¿qué salida?, olvidándose de todo lo que lo hacía tan infeliz. Miró hacia adelante, hacia atrás, hacia los lados: nadie. Nadie que le ayudara a buscar una salida. Se quedó allí sentado. Mirando el suelo. Solo.

Mas no permaneció mucho tiempo solo; dos horas después tuvo una idea. Y antes de que se le escapara, la agarró bien agarrada y dijo:

—Ahora te quedas aquí conmigo, y punto.

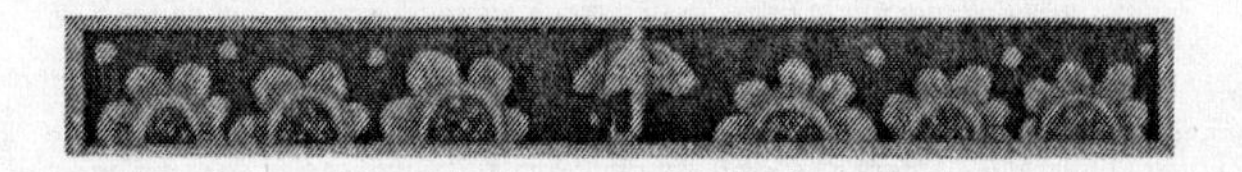

Capítulo II
El disfraz

El puerco, entonces, resolvió sacar la idea adelante y comenzó, solo, a estudiar su nombre. Aprendió las seis letras, el olor, el sonido, la cara, su forma, y después aprendió la *t*. Luego fue haciendo un montón de combinaciones con las letras. Las mezclaba todas, las separaba, las juntaba otra vez bien, las juntaba haciendo un sonido diferente, después probaba otro sonido, después escondía el nombre bien escondido en medio de otros nombres para ver si sabía encontrarlo, y cuando llegó a tener el nombre memorizado de todas las maneras, hizo lo siguiente: Todo el día se iba a la puerta de la casa y se quedaba esperando a que llegara una noche bien negra. Una noche como él quería: sin luna, sin estrellas, sólo con un montón de nubes oscuras que taparan el cielo; una noche en que faltara la luz y que tomara a todo el mundo desprevenido, sin fósforos y sin linterna. Quería todo eso junto. Para que nadie pudiera ver ni un pedacito de lo que iba a hacer.

Una noche así, tan llena de falta de cosas, tardó bastante en llegar, pero un día llegó. Y como ella sabía muy bien que el puerco quería secreto y misterio, apareció en el mayor silencio, sin hacer ningún ruido.

—Escucha, no aclares, no lo hagas —le cuchicheó a la noche—. Consígueme sólo una luciérnaga para poder ver lo que quiero encontrar, y quédate así, tapándolo todo, hasta que acabe de hacer lo que quiero hacer, ¿sí?

La noche aceptó. Él salió, entonces, en puntillas. Una luciérnaga apareció y fue volando detrás.

Apenas salió el puerco, el corazón comenzó a latirle como loco.

—¿Quieres hacer el favor de latir de una manera más normal?

El corazón no hizo caso.

—Deja de latir con esa fuerza, ¿quieres? Vas a acabar despertando a alguien.

Mas decirle eso al corazón no servía de nada: el condenado latía cada vez con más fuerza (porque el corazón es así: es nuestro, pero no hace el más mínimo caso de lo que le pedimos). Latía diciendo:

—Te van a descubrir, te van a descubrir, te van a descubrir... —y preguntaba—: ¿Y si descubren que vas a engañar a todo el mundo?

—Nadie va a descubrir nada.

—Pero ¿si alguien te ve?

—Nadie me va a ver, te lo aseguro: la noche me va a ayudar.

—Lo dudo: a mitad de camino, va a aclarar.

—¿Quieres dejar de hablar?

—¿Y si no encuentras lo que buscas?

—Claro que lo voy a encontrar.

—Lo dudo.

—¿Quieres callarte?

Pero en el camino el corazón latía con fuerza y dudaba. Hasta que llegaron junto al libro que guardaba el nombre de todo el que entraba en la vida. Y se quedó latiendo de la misma forma todo el tiempo, mientras la luciérnaga iluminaba y el puerco buscaba su nombre. Sólo cuando oyó que el puerco pensaba: "¡Aquí está, lo encontré!", el corazón se quedó quieto: quería ver qué iba a ocurrir.

Despacito, con un miedo terrible de equivocarse, el puerco tomó su nombre y cambió la *c* por una *t*. Estaba aún esmerándose en el trazo de la *t* cuando el corazón dio un vuelco tan grande que todo el mundo se asustó: la luciérnaga voló lejos, la noche encogió tres nubes (y la luna aprovechó para aparecer), y el puerco salió disparado. Corrió como un loco hasta que entró en su casa, ¡pla!, cerró la puerta y dejó por fuera el miedo de que alguien fuera a verlo. Sólo entonces el corazón comenzó a latir de una manera normal.

El puerco, entonces, respiró sosegado: Ahora se llamaba PUERTO. Cerró los ojos. Comenzó a acordarse del mar, del agua que rompía contra el muelle, de las grúas, de los barcos. Comenzó a sentirse feliz. Ahora su nombre tenía todo eso: el ruido del barco que pita, del agua que golpea, el olor del mar. Se rio de contento. Su nombre tenía tantas cosas agradables que ahora, seguro, todo el mundo lo llamaría así. Se sentía dichoso. El día fue aclarando, él dijo su nombre bajito:

—Puerto —después lo dijo otra vez para acostumbrarse—: Puerto —y le pareció tan bonito, que lo repitió un poco más alto—: Puerto.

Tomó el saco de estopa y decidió hacerse un traje con él. Llenó todas las mangas de flores; cubrió la parte de delante con las conchitas que había traído de la playa; atrás, tomando toda la parte de atrás, dibujó un sol, un pez, la cara de una niña que había visto en una ventana; y pintó también una música que le gustaba. Sobró un pedazo de saco y entonces hizo un sombrero: grande, deshilachado en las puntas, y encima, bien sujeto, el retrato del puerto. Era un traje complicado, pero tenía que ser así, porque era para disfrazarse. Puerto no quería que nadie —nadie más— viera que él era un puerco.

El sol ya estaba alto cuando acabó el disfraz. Se vistió, se puso el sombrero y salió a pasear.

Nadie había visto nunca un traje así.

Todo el mundo se le acercaba para mirarlo, para admirarlo, para comentar.

—¡Qué traje tan diferente! ¿Dónde lo compraste?

—Yo lo hice.

—Ah, ¿sí? ¿Y cómo te llamas?

—Puerto.

—¿Puerto?

—Sí: Puerto.

—¡Qué nombre tan maravilloso!

—Está a tus órdenes.

Quisieron copiarle el traje. Quisieron copiarle el nombre también. Hubo una muchacha que comenzó a llamarse Puerta; y hubo un muchacho que, con la prisa de copiarlo, se enredó con la *t*, acabo haciendo una *c* y terminó siendo Puerco.

Ya nadie torció la nariz al verlo. Puerto comenzó, entonces, una vida nueva.

Y creció.

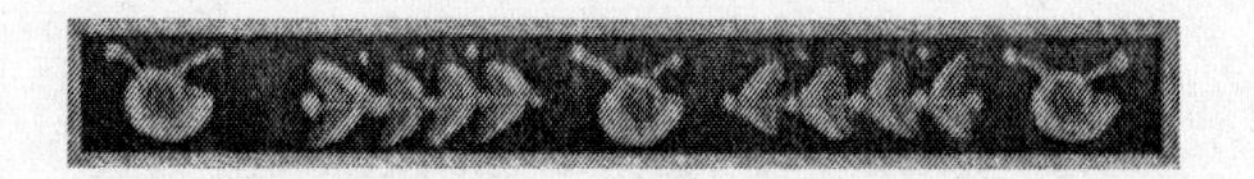

Capítulo III
Puerto sale a buscar trabajo y acaba encontrando algo muy diferente

Puerto salió de casa con un hambre tremenda: conseguir comida se iba volviendo cada día más difícil.

Cuando pasó por el lago, se paró y se puso a mirarse de todas las formas posibles: andaba buscando una mirada estupenda, con encanto. Al rato encontró una que le pareció buena. Ensayó un montón de veces esa mirada y después se fue.

A medida que el hambre apretaba iba andando más de prisa. Tenía que conseguir algo que hacer, ganar dinero, comer. Acabó corriendo. Sólo paró cuando vio una fila muy larga. Le informaron que toda esa gente estaba allí para conseguir trabajo, se desanimó, pero aun así se puso en la fila. Para distraerse, comenzó a observar al sujeto que estaba delante.

Era un elefante.

Cada vez que la fila avanzaba, el elefante suspiraba. Eran unos suspiros tan afligidos que fueron poniendo a Puerto medio nervioso. Cuando la fila paraba, el elefante dejaba de suspirar, pero en lugar de eso balanceaba la trompa de un lado al otro con impaciencia. Al cabo de una hora, Puerto no resistió más y codeó al elefante:

—¡Oye!

El elefante se dio vuelta. Era viejo. Se había enrollado y pegado las orejas como dos tubitos: le molestaban las orejas grandes.

—¿Todo bien? —le pregunto Puerto.

—No hay nada bien. Mis patas se hinchan cuando espero en la fila. Mira el tamaño que tienen. Enormes —suspiró afligido—. ¡Y me fastidian tanto las patas grandes...!

Puerto tomó el suspiro del elefante y lo lanzó lejos.

—¿No puedes dejar de suspirar?

El elefante suspiró que no. Puerto bajó la voz:

—Entonces procura hacer suspiros pequeños. Mira, cada vez que das un suspiro de ésos la gente de la fila se encoge de frío con el ventarrón del suspiro.

El elefante también bajó la voz:

—Pero mi suspiro nació grande, ¿qué puedo hacer? Tengo una desgracia enorme: si hay algo que me fastidia son los suspiros grandes.

—¿Cómo te llamas?

—Canarito —quiso encogerse de hombros, pero no encontró la manera y entonces encogió la trompa—. Fue mamá quien eligió el nombre: no quería un hijo elefante, lo que le gustaba eran los pajaritos —suspiró—. ¡Cómo quisiera llamarme de otra manera!

Puerto sintió unas ganas tremendas de contarle al elefante el cambio que había hecho con su nombre. Llegó hasta a abrir la boca para hablar, pero después se quedó quieto. ¿Y si al elefante se le soltara la lengua? ¿Y si todo el mundo terminara sabiéndolo? ¿Y si tuviera que volver a ser Puerco? Se asustó de sólo pensarlo; y para ver si el susto le pasaba comenzó a jugar a hacedor de nombres, inventando cómo se podría llamar el elefante: ¿Hildebrando? ¿Dagoberto? ¿Nepo? Pero vio al elefante con una cara tan desanimada que se olvidó del juego y dijo:

—Creo que Canarito es un nombre muy bonito.

—Bonito para un pajarito, pero no para un animal grande como yo —sacudió la trompa con impaciencia—. ¡Caramba! Si hay algo que me fastidia son los animales grandes.

Puerto se palpó la barriga:

—¿Tú también tienes hambre?

El elefante frunció la cara y no respondió. La fila fue avanzando y Puerto continuó sintiendo el hueco que el hambre iba cavándole en la barriga. Sólo después de mucho tiempo el elefante exclamó con voz de enfado:

—¡Un hambre de este tamaño! Y a mí las hambres grandes me fastidian mucho.

—¿En qué trabajas?

—Vivo de rebuscar empleos: consigo un trabajito aquí, otro allí. Cuando aparecen. Pero a veces no aparece nada. Como ahora. Desde Navidad no aparece nada. Me estoy apretando el cinturón tanto que no lo podrías imaginar.

Puerto miró el cinturón que el elefante usaba.

—¡Caramba, qué cinturón tan maravilloso! ¿Es de cocodrilo?

El elefante hinchó el pecho: adoraba ese cinturón; aun viviendo apretadísimo, no vendía el cinturón por nada del mundo.

—Sí: de un cocodrilo que me debía un dinero y un día me pagó con un pedazo de cola.

—¿De él?

—Sí. Lo aproveché y me hice un cinturón. Mira, en Navidad la hebilla estaba aquí en este hueco. Ahora está aquí: se estrechó todo eso.

—¿Y qué trabajo conseguiste en Navidad?

—Uno de Papá Noel.

—Ah, ¿sí? ¿Y fue bueno?

—¡Terrible! Me metieron en un traje rojo y blanco, me ensartaron en la cabeza un gorro adornado de algodón, me pusieron barba, bigote, botas, casi me muero de calor con todo aquello. Después me mandaron a la entrada de una tienda a decirles a todos los niños que pasaban, que yo había elegido los juguetes de aquel almacén. Trabajé toda la semana y me gané un buen dinerito, pero no fue fácil. La calle estaba llena de tiendas, y cada una tenía también un tipo que hacía de Papá Noel.

El dueño de mi tienda me ordenaba gritar bien alto para que nadie oyera a ningún otro Papá Noel y sólo compraran en su tienda, pero los otros también gritaban muy fuerte para que nadie me oyera. Resultado: cuando acabó la Navidad, yo estaba ronco y muy cansado.

—¿Y ahora? ¿Qué trabajo vas a pedir?

—¿Pedir? Hace mucho tiempo que ya no pido nada. Todas las semanas me pongo en la fila para ver si me ofrecen algo. Cuando llega mi turno, ya lo verás, el sujeto me mira y dice: "Para elefantes viejos, no hay nada".

—Pero tú no eres tan viejo.

—Sí lo soy.

—Pues no parece.

—Es que yo me tiño estos pelitos —miró hacia los lados para ver si alguien estaba escuchando—. Y me estiro las arrugas y me las sujeto con cinta pegante. Mira: todo esto de aquí está pegado. Cuando me pongo cinta nueva queda precioso, pero hace mucho tiempo que no tengo dinero para comprar cinta. Estas ya están hechas una porquería, no pegan nada y a cada momento se cae una arruga.

Puerto comenzó a romperse la cabeza para ver cómo podía conseguirle unas cintas nuevas a Canarito. Después pensó que el asunto no era conseguir cintas; era conseguir trabajo. Y comenzó a pensar tanto en eso, que se olvidó del hambre, no vio que la fila avanzaba, y sólo volvió a la realidad cuando oyó la voz del elefante que le preguntaba al hombre que distribuía trabajo:

—¿Tiene usted algún trabajito para mí?

—Para elefantes viejos, no hay nada.

Canarito bajó la cabeza, y ya se estaba marchando, cuando Puerto lo agarró del cinturón y le cuchicheó a la carrera:

—La semana que viene es Pascua. Ofrécele uno de huevo: haz de huevo gigante para vender huevitos de chocolate.

Más que de prisa, Canarito se volvió hacia el hombre y engrosó la voz:

—¿Cómo que no hay nada? Está llegando la Pascua. ¿En Navidad no me consiguió empleo de Papá Noel para anunciar juguetes? ¿Entonces? Ahora muy bien puede conseguirme un empleo de huevo gigante para anunciar huevitos de chocolate.

El hombre se animó en seguida, y abrió unos ojos enormes.

—¡Pero qué buena idea! ¡Con ese tamaño vas a parecer un huevo genial, y apuesto a que venderás chocolate en cantidades! Ya estás empleado. Entra. Primera puerta. Izquierda. Siéntate. Espera.

Canarito y Puerto intercambiaron un guiño de ojos y un apretón de patas.

—Adiosote —dijo Puerto.

—Adiosito —respondió el elefante—. Si hay algo que me moleste son los adioses grandes —y desapareció.

El hombre, entonces, se volvió hacia Puerto.

—¿Nombre?

—Puerto.

—Foto.

Puerto sacó del sombrero la fotografía del puerto y mostró un puntico negro:

—Soy ése de aquí.

—Mientras el hombre pegaba la foto junto al nombre, Puerto sintió de nuevo el agujero que el hambre le cavaba en la barriga.

—¿De qué quieres trabajar? —preguntó el hombre.

—De médico.

—¿Dónde está el diploma?

—¿Qué diploma?

—El diploma de estudios.

—No tengo estudios, señor.

—¿Estás bromeando? Si no tienes diploma, ¿cómo quieres ser médico?

—El que está bromeando es usted. A ver: si no pude quedarme en la escuela, ¿cómo voy a tener diploma?

El hombre se impacientó:

—Si no tienes diploma, no puedes ser médico.

—Quiero ser ingeniero, entonces.

—¿Dónde está el diploma?

—¿Qué diploma?

—¡Ay, ay, ay, ay, ay!

El hambre cavaba un agujero cada vez mayor. Puerto vio que tampoco conseguiría ser ingeniero. Probó.

—¿Y dentista? ¿Se puede?

El hombre se fue poniendo de mal genio:

—¡Se necesita diploma de estudios!

—¿Y artista?

—No se necesita.

—Entonces quiero ser eso.

—No se puede: aquí no se les da trabajo a los artistas.

—¿Por qué?

—Hoy es miércoles. Esa pregunta sólo tiene respuesta los martes, los jueves y los sábados. Aquí tengo un trabajo de bombero. ¿Lo quiere?

—Querer lo quiero, sólo que no sé ser bombero. Pero sé servir muy bien: ¿puedo ser camarero?

—Hay mucha gente que quiere servir: no hay más vacantes.

El hambre continuaba cavando. Puerto vio entonces que si no conseguía comida el agujero se lo tragaba a él. El hombre preguntó: —¿Quieres un empleo de anuncio?

Él respondió corriendo:

—No sé qué es, pero lo quiero. Démelo. De prisa.

Entonces el hombre le dio a Puerto dos tablas sujetas por un alambre, en las que estaba escrito:

VENGA A COMER AL RESTAURANTE
HERMOSO; ES LINDO, AGRADABLE,
DELICIOSO.
TIENE TODO LO QUE USTED SUEÑA COMER
POR PRECIOS TAN BAJOS QUE HAY QUE VER.

Y dijo:

—Ahora te pones encima estas tablas y sales por ahí, para que todo el mundo vaya leyendo el anuncio.

—¿Y pagan bien por ese empleo?

—Almuerzo y comida seguras en el restaurante Hermoso, y algún dinerito a fin de mes.

Era justo la hora del almuerzo. Puerto voló hacia allá.

El restaurante Hermoso no era lindo en absoluto, hasta era bien feo, y Puerto supo en seguida que cobraban carísimo. Mandaron a Puerto a comer en la cocina junto con el cocinero. La comida le pareció mala, pero con la prisa que tenía de tapar el agujero que el hambre había cavado, limpió el plato y pidió más. Le dijeron que con un plato bastaba, él dijo "paciencia", bebió agua para tapar el resto del agujero, se levantó, se acomodó las tablas y salió. Caminaba meciéndose de un lado al otro, muy despacio para que todo el mundo pudiera leer con calma que el restaurante Hermoso era lindo, agradable, delicioso y tenía precios tan bajos que había que ver.

Andando de aquí para allá, Puerto se fue acercando a un lugar donde un montón de plantas y de árboles se habían unido para hacer un matorral. Y de dentro de ese matorral salía el sonido de una flauta. Era una musiquita tan agradable que el corazón de Puerto quiso en seguida volver atrás.

Despacito, con todo cuidado, Puerto comenzó a seguir el rastro de la flauta. Se metió por el prado, rodeó un árbol, saltó una piedra, ¡y de repente la encontró! Y se quedó en seguida intrigado: nunca había visto ese animal que estaba allí, tocando la flauta. Era hembra: eso lo sabía, y tocaba de pie, manteniéndose en equilibrio sobre una sola pata.

Puerto se puso a oír, se puso a mirar, se fue encantado no sabía si con ella, si con la flauta, si con las dos. Comenzó entonces a conversar con el corazón:

—¿Te parece bonita?

—No lo sé...

—¿Te parece fea?

—No lo sé...

—¿Qué es lo que sabes?

—Que me gusta como es.

—¿Por qué?

—¡Sabe equilibrarse tan bien con una sola pata!

—¿Y qué más?

—¡Ah, yo qué sé! Toca la flauta con tanta seguridad, mira con tanta seguridad, tiene cara de tanta seguridad.

—Si ella mira hacia acá, hazle aquella mirada de encanto.

—¿Qué?

—Mírala de aquel modo maravilloso.

—¿Lo ves? Ahora sólo piensas en esas bobadas.

—¿Bobadas por qué? ¿No has dicho tú mismo que te gusta como es?

—Sí, me gusta.

—¿Entonces?

—Está bien, la miro.

Cuando llegó a ese punto de la conversación, la musiquita se acabó. Puerto se puso a aplaudir entusiasmado.

Cuando la flautista vio a Puerto, no se asustó ni nada. Hizo en seguida una reverencia y dijo:

—¡Hola!

—¡Hola! —respondió Puerto, y de repente se quedó todo confundido y no se acordó de hacer ningún encanto, pero dijo—: Tocas muy bien.

Ella sonrió. Él se armó de coraje y añadió:

—Dime una cosa: ¿qué animal eres tú?

—Una cigüeña.

—¿Y las cigüeñas tienen nombre?

—No sé si todas tienen, pero yo sí. Me llamo Angélica.

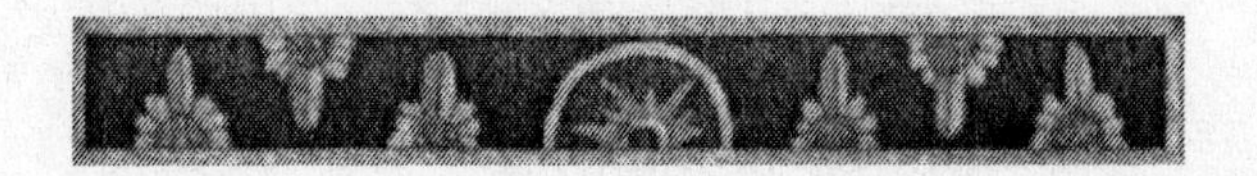

Capítulo IV
La cigüeña

—¿Dónde naciste, Angélica?

—Allá. Después de aquel mar.

—¡Caramba, qué lejos!

—Pues sí.

—¿Allá es mejor que aquí?

—¿Sabes? Creo que ningún país es mejor que otro: uno es mejor en una cosa, otro en otra.

—¿Tienes familia?

—Enorme: padre, madre, abuelo y ocho hermanos. Se quedaron todos viviendo allá. Pero siempre me escriben. Y yo a ellos. Era una familia formidable. Sólo había una cosa mala, que... —pero dejó de hablar, y se quedó quieta pensando.

—¿Una cosa mala?

—Hmmm-hmmm.

—¿Qué era?

Angélica fingió que no había escuchado la pregunta y contó otra cosa:

—En invierno, en mi tierra hacía un frío tremendo. Y así, cuando llegaba el otoño, me iba de viaje. Volaba a países más calientes y me quedaba por allá hasta que la primavera aparecía otra vez.

Puerto suspiró. Aquello sí que era vida: verano aquí, invierno allí, familia, alas para volar... tal vez, algún día, Angélica le prestaría las alas y él saldría volando a conocer el mundo entero, y hasta conseguiría una familia.

—Mis hermanos se llaman Luna, Luva, Luis, Lux, Ludo, Lumbre, Lucas y Lutero.

—¡Caramba! ¿Y cómo fue que tú saliste Angélica?

—Mamá dice que apenas nací vieron que yo iba a ser diferente: tenía cara de espíritu de puerco[2]. Mi familia era muy respetada, ¡yo llevaba una vida! Pero cuando crecí y descubrí la mentira que todo el mundo decía, mi vida se volvió tan mala que no te lo imaginas.

---

2 A Puerto le encantó esa historia de que Angélica fuera espíritu de puerco o espíritu de contradicción: le parecía que los dos eran parientes.

—¿Qué mentira?

—De ahí en adelante yo tenía que vivir fingiendo.

—¿Por qué?

—Y si hay algo que no acepto es fingir. Cuando es para jugar a hacer-ver, me gusta. Pero cuando es para vivir todo el tiempo engañando a los otros y fingiendo algo que no soy, ¡ah, eso no lo acepto!

Puerto miró al suelo. ¿Y si Angélica no aceptara esa historia de que él fingía que no era puerco?

—Mi vida se volvió tan mala...

—Pero, ¿por qué?

—...tan mala que sólo pensaba en dejar mi país e irme bien lejos. Pensaba en eso todo el día, y la noche entera también. A veces, para descansar un poquito de tanto pensar, hacía poesías.

—¡Huy!... —y el corazón de Puerto ya latió medio asustado: Angélica sabía música, sabía leer y escribir, hasta poesía sabía hacer. ¿Y si creía que él era un burro?

—Pero el resto del tiempo sólo pensaba en desaparecer. Hasta que un día resolví venir al Brasil. ¿Ves este botón? —y se agachó para que Puerto viera el botón que tenía pegado en lo alto de la cabeza.

—Estupendo. ¿Para qué sirve?

—Para abotonar las ideas. Fue el regalo de despedida de mi familia. Mi abuelo dijo que para vivir sola necesitaba tener las ideas muy bien abotonadas; si no, se dañan.

Puerto se rio: le había gustado el botón. Ella continuó:

—Así pues, me abotoné muy bien abotonada la idea de venirme para acá, y me vine.

—¿Volaste sobre todo ese mar?

—Pero a mitad del camino me cansé. Si no pasa un barco y le pido que me lleve, no llego: las alas se habían averiado. Y aún viajé un montón de días más hasta llegar al puerto.

Puerto se puso feliz: Angélica llegando al puerto era como Angélica llegando a él.

—Pero bastó desembarcar para ver que aquí también mentían con la misma mentira que allá. Y después me dijeron que no servía de nada irse a otro lugar, porque todo era lo mismo.

—¿Todo qué?

Fue entonces cuando ella gritó:

—¡Me olvidé de la hora! Tengo que tocar en una fiesta de matrimonio la música que estaba ensayando. ¡Adiós!

Puerto se quedó en la mayor aflicción. ¿Así que ella se iba y desaparecía así de repente sin explicarle bien todo lo que le había preguntado? ¿Los dos ya no volverían a verse más? Agarró a Angélica por el ala:

—¡Espera! No entendí la historia de la mentira, del fingimiento, de las cosas malas, quiero saber un montón de cosas, quiero si...

—Ahora no te puedo contar nada más, estoy atrasada, ¡adiós!

—¡Sólo un momentico! ¿Tienes apellido? ¿Dónde vives? ¿Quién se casa hoy, ah?

Pero ella ya había desaparecido.

Puerto se quedó parado. Quieto. Un buen tiempo. De repente se asustó: vio que se había abotonado la idea de enamorarse de Angélica.

Capítulo V
Puerto lucha para probar que es hombre

Al otro día, Puerto volvió al mismo lugar para ver si encontraba a Angélica. La encontró, y entonces ella le contó más cosas. Le contó que tocaba la flauta aquí y allá para ganar un dinerito, pero que no le gustaba mucho ese trabajo; dijo que el sueño de su vida era trabajar en algo que le pareciera maravilloso. Puerto le contó que a él tampoco le gustaba trabajar de anuncio, la única ventaja era que comía en el restaurante, y... hablando de eso: ¿A Angélica no le gustaría comer con él?

Sí, sí le gustaría.

Era la primera vez que Puerto invitaba a alguien a comer. Se estaba sintiendo muy importante y emocionado, porque era la primera vez también que salía con una novia[3].

Apenas se sentaron, un camarero se acercó a la mesa y encendió una vela. Puerto se desalentó: ¡Caramba, qué desgracia! Precisamente la noche en que invitaba a Angélica a comer, se iba la luz. Se volvió hacia el camarero y le dijo:

—Mira, yo conozco a un electricista ¿Quieres que hable con él para que venga a reparar este daño de la luz?

El camarero puso cara de alguien que piensa que es importante:

—No, no se fue la luz. Lo que pasa es que es elegante comer con luz de vela.

—Ah, ¿sí?

En la mesa del lado comenzaron a reírse. Puerto miró de reojo y se llevó un susto tremendo: eran los macacos los que se estaban riendo. Los macacos de la escuela. Aquéllos que vivían burlándose de Puerto. "¿Me habrán reconocido?", pensó. Y le cuchicheó a Angélica:

—Esa pandilla se está riendo porque yo

---

3 Angélica aún no sabía que era novia de Puerto, pero él ya tenía absoluta certeza de que era su novio.

no sabía que la luz de vela era elegante. Si se siguen burlando de mí, voy a tener que pelear.

Angélica no hizo el más mínimo caso:

—El que quiera burlarse de nosotros que lo haga: problema suyo.

—¿Pero tú sabías?

—¿Qué?

—¿Que eso de las velas es elegante?

—Ya lo había oído decir, pero me pareció una bobada.

Puerto se quedó molesto con esa historia: Angélica sabía, los macacos sabían, todo el mundo sabía ese asunto de la vela; sólo él no lo sabía.

El camarero trajo las cartas, le dio una a cada uno, y se quedó esperando a que las leyeran y resolvieran qué querían comer. Puerto se aterrorizó: ¡Claro! Ahora Angélica vería que él no sabía leer. Miró la carta, no entendió nada, la puso cabeza abajo para ver si entendía mejor y todo empeoró.

Los macacos se pusieron a reír otra vez. De reojo, Puerto vio que el más viejo le daba la vuelta a la carta, igualito a como él lo había hecho. ¡Caramba, qué rabia le estaba dando esa pandilla! Desvió la mirada de los macacos y vio que Angélica lo estaba mirando.

—No sabes leer, ¿no?

Él quiso decir que no, pero la respuesta se avergonzó toda y decidió no salir.

—Si quieres, yo te enseño —dijo, y continuó estudiando la carta para ver qué iba a comer.

Puerto la miró feliz. ¡Sería magnífico aprender a leer y escribir con Angélica! Y a ella no le había importado que él fuera burro. ¡Qué maravillosa era!

—¿Entonces? ¿Quieres que te enseñe?

Cuando iba a decir que sí, la respuesta se avergonzó otra vez y no salió. Y en lugar de ella apareció una respuesta petulante que iba diciendo:

—No hace falta: vivo muy bien sin saber leer ni escribir.

—Pues podrías vivir mejor si supieras —y se volvió hacia el camarero y le dijo—: Yo quiero una crema de camarones.

Y Puerto dijo:

—Yo también.

Mientras comían los camarones, Angélica le contó a Puerto su historia, y esta vez la contó integra, con puntos y comas. Y mientras comían el postre, Puerto le contó toda su vida a Angélica; hasta le contó la historia del disfraz y el problema del nudo ciego que no conseguía deshacer. Y entonces se olvidó de la vela, de los ma-

cacos y de la carta. Cuando el camarero trajo la cuenta, ni la miró; sólo dijo:

—Yo trabajo en el restaurante, tengo derecho a comer aquí.

Al camarero le pareció rara la respuesta y fue a hablar con el dueño de la casa.

El dueño del restaurante Hermoso tenía los ojos muy abiertos, desorbitados, las cejas peludísimas y era tan gordo que apenas podía andar. Aun así llegó hasta la mesa de Puerto, se puso las manos en la cintura y preguntó:

—¿Usted trabaja aquí en el restaurante? (Cuando hablaba los ojos se le desorbitaban aun más, y las cejas se le disparaban hacia abajo y hacia arriba con todo lo que decía).

A Angélica le dieron ganas de reírse de la cara del hombre.

—Sí, señor, trabajo de anuncio. Salgo todos los días cargando esas tablas que dicen que el restaurante Hermoso es lindo, agradable y delicioso.

¡Para qué! El dueño tosió, estornudó, resopló y explotó:

—¿Usted trabaja de anuncio y cree que puede traer invitados y comer a costa mía?

Los macacos se codearon y se guiñaron el ojo. Todo el mundo que estaba en el restaurante comenzó a mirar. Y como las cejas del patrón iban cada vez más hacia abajo y más hacia arriba, Angélica no resistió: se tapó la cara con la servilleta y empezó a reír. Nervioso por todo aquello, Puerto tartamudeó:

—Pero yo tengo derecho a comer aquí. Usted mismo dijo que...

—Usted tiene derecho a comer en la cocina la comida que sobra de los clientes. Junto con el cocinero y el que lava los platos. ¿O usted piensa que es igual a mis clientes y puede comer camaroncitos, y además postre, y qué sé yo qué más? Usted y además esa... esa..., ¿qué clase de animal es ésa?

Puerto se puso furioso:

—¡Alto ahí! Más consideración con la señorita.

—¿Y quién es usted para decirme alto ahí? Soy su patrón, ¿ha oído? Nadie me habla así dos veces. ¡Está despedido!

Angélica dejó de reír. A Puerto le pareció que tenía que dárselas de hombre y fingir que no pasaba nada:

—De acuerdo: estoy despedido. ¿Y entonces?

—Entonces usted no se va sin pagarme la comida.

Sólo entonces Puerto y Angélica miraron la cuenta. Puerto sabía leer los números y se pegó un susto enorme.

—¡Caramba, pero la comida ha costado mucho más de lo que gano en todo el mes!

—Mi restaurante es de lujo, ¿qué se cree? Y usted no se va sin pagarme.

Uno de los macacos gritó entusiasmado:

—¡Ahora quiero verlo!

Y los otros comenzaron a reírse.

Puerto estaba desolado.

—Usted sabe muy bien que yo no tengo ese dinero —dijo bajito, para que los macacos no lo oyeran.

Pero lo oyeron, y uno dijo:

—No tiene dinero e invita a la novia a comer.

Las carcajadas aumentaron.

Fue entonces cuando Angélica acabó de hacer las cuentas mentalmente, y vio que el dinero que estaba ahorrando[4] le alcanzaba justo para pagar la cuenta.

—¿Qué pasa, Puerto? ¡Qué bobada! —dijo con un aire muy superior—. ¿Entonces te olvidaste de ese dinero que

---

4 Un día, cuando pudiera, quería ir a visitar a su familia.

me habías dado para que yo lo guardara? —sacó un montón de billetes de un bolsillito que tenía en el ala izquierda, los echó encima de la mesa y dijo bien alto, para que todo el mundo escuchara—: Los camarones estaban dañados, el jugo de frutas también, el postre peor todavía. Y a mí me parece que si esta cena cuesta mucho más de lo que usted le paga a Puerto a fin de mes, es porque usted es un ladrón. ¿Vamos, Puerto? —y fueron saliendo, mientras el dueño contaba el dinero para ver si estaba completo. Porque él era así: mientras le pagaran el dinero que quería, podían decir lo que quisieran, que era esto, que era aquello, hasta que era un ladrón.

Angélica salió del restaurante feliz de la vida.

—¡Besugo cejudo! Pensó que no teníamos dinero para pagar, pero teníamos. ¡Bien hecho, bien hecho, bien hecho! —y se reía.

Puerto estaba enfurruñado. Después de un rato, explotó:

—¡Caramba, qué vergüenza!

—¿Qué?

—Me pagaste la cuenta.

—Bueno, si tú me la hubieras pagado, a mí no me habría dado vergüenza.

—Ah, pero es diferente.

—No sé por qué.

—Porque sí, bueno.

—Porque sí bueno no explica nada.

—Porque es el hombre el que siempre tiene que pagar: por eso.

—¡Oye, Puerto, esa idea es un poquito anticuada!

—Siempre ha sido así.

—Ahora te estás pareciendo a los de mi casa. Cuando yo decía que no podían seguir mintiéndoles a los niños, ellos decían: "Siempre ha sido así". Yo respondía: "Pero es un error; hay que cambiar". Y entonces se enfadaban conmigo. ¿Te has dado cuenta de la cantidad de gente que no quiere que las cosas cambien?

—Hmmm.

—¿Por qué será, ah?

—Hmmm.

—¿Has pensado en eso?

—Hmmm.

—¿Pero qué es eso de hmmmmm hmmm? ¿Estás enfermo? ¿Tienes dolor de muelas, dolor de oído?

Él se volvió hacia ella de repente, y dijo con fuerza:

—Dolor de vergüenza, ¿oyes? ¿O crees que la vergüenza no duele?

—Pero, Puerto, ¿vergüenza de qué? Si yo...

Él estaba acelerado y no la dejó hablar.

—Dices vergüenza de qué, pero apuesto que ahí en tu cabeza me debes de ver como algo insufrible porque no sabía que la luz de vela es elegante, porque no sé leer, porque soy un puerco disfrazado de Puerto, porque no tengo dinero para pagar una comida. ¿Pero piensas que me importa que me creas insufrible? ¡Ah! ¡No me importa, no me importa, no me importa nada! ¿oyes?

—¡Un hombre, que es hombre, le paga la comida a la novia!

Claro: eran los macacos otra vez. Pasaron corriendo, riendo, silbando, diciendo un hombre que es hombre, etc. y así.

Y Puerto, que cuanto más repetía que no le importaba, tanto más sentía que iba a reventar de tanto que le importaba, corrió detrás de los macacos —¡ah, si agarrara a uno de ellos!—, corrió hacia dentro de la noche, dejó atrás a Angélica, pero los macacos ya habían desaparecido.

Era noche de luna llena. Una luna tan clara, que de todo iba sacando una sombra: de Puerto, de los árboles, de las piedras.

Cada ruidito que Puerto oía, creía que era la voz de un macaco que decía: "Un hombre que es hombre...". Y entonces se daba la vuelta de prisa. Su sombra se daba la vuelta también. Él pensaba que era la sombra de un macaco, le daba un bofetón y también le ponía una zancadilla. Y de tanto querer que la sombra se cayera, el que terminaba cayéndose era él. Rodaba por el suelo, pero se levantaba en seguida. Aparecían más sombras. Él creía que tenía que pelearse con cada una de ellas. Caía y se levantaba. Caía y se levantaba.

Y allá se fue Puerto, entrando cada vez más dentro de la noche, peleando, cada vez más fuerte con todas las sombras que aparecían a su alrededor.

Peleó hasta cansarse. Entonces se fue a casa y se durmió.

Apenas se durmió comenzó a soñar. Para decir la verdad, no fue un sueño; fue una pesadilla: una lechuza le chillaba que él no era hombre y él tenía que probar que lo era. Y entonces se puso a pelear con la lechuza. Luchaba con todo el cuerpo, daba puntapiés y acabó dándose un cabezazo tan grande que se despertó gimiendo[5].

---

5 Todavía hoy tiene un chichón en la frente a causa de ese cabezazo.

Le costó dormirse otra vez. En cuanto lo hizo, el elefante Canarito apareció y dijo: "Puerto, tú no eres hombre". Fue suficiente: comenzó la pelea de nuevo. Puntapiés, cabezazos, bofetones. Le dolían tanto que se despertaba llorando. Volvía a dormirse, y aparecía Angélica, aparecía la luna, aparecía el viento, aparecía todo el mundo molestándolo: "¡Tú no eres hombre!" Y tenía que pelear hasta que se desdijeran de todo.

Al fin resolvió no dormir más (por miedo de soñar y tener que seguir peleando). Fue hacia la ventana y se puso a mirar hacia fuera. Miraba y pensaba en la vida, en todo lo que ya había visto y aprendido. Pensó en las cosas que Angélica le había dicho, y acabó pensando: "Si nací hombre, si tengo hocico de hombre, cuerpo de hombre, patas de hombre, ¿por qué me tengo que molestar si dicen que no soy hombre? ¡Qué estupidez!" Pensó en eso mucho tiempo. Tanto tiempo que acabó por dormirse de nuevo.

¿Hay que decir que soñó otra vez? ¿Y con quién? Eso mismo: con los macacos. Para empezar, decían que Puerto no era hombre. Mas esta vez Puerto pensó que sería la mayor bobada del mundo pelear por ese motivo. Se rio. ¡Bobos! Y cuando vio que los macacos se desconcertaban y ya no decían nada, se rio mucho más aún. Se sacudió de la risa. Hasta acabó dándose otro cabezazo. Pero no se despertó: un cabezazo de risa es cosa leve; no deja chichón, no duele, no es como para que alguien se despierte de un sueño.

Capítulo VI
El paseo

Toc, toc, llamaron a la puerta. Toc, llamaron otra vez. Puerto se despertó asustado y abrió. Era Angélica.

—Pensé mucho en ti anoche —dijo ella—. Y hoy por la mañana, en cuanto acabé de cepillarme las plumas, me empezaste a hacer falta.

Puerto se quedó parado, el corazón le andaba de prisa, el pensamiento también: ¿Había oído bien? ¿Así que el poco caso que le hacía Angélica sólo existía dentro de su cabeza? Miró la vida. Era un día realmente precioso.

Entonces él también quiso decirle algo bonito a Angélica, pero en ese momento le salió algo así:

—Pues sí: hay unos que se cepillan los dientes, hay otros que se cepillan las plumas.

Ella sacó del bolsillo un paquetico y se lo dio.

—Toma. Me dijiste que te había gustado la música que toqué en la flauta: te la quiero dar de regalo.

Puerto tomó la música. Angélica suspiro:

—Bueno, me voy. Chao.

—¡Espera! —y entró en la casa, buscando cualquier cosa. Así que Angélica venía, le daba una música, decía que lo echaba de menos y se iba sin llevarse una flor, un recuerdito, ¿nada? Pero dentro de la casa no había nada. Se asustó.

—¡Espera! —pidió otra vez; de ninguna manera dejaría que Angélica se fuera con las alas vacías. Y entonces, como no tenía nada que sacar del bolsillo o de la casa, Puerto abotonó una idea a la carrera. La abotonó bien abotonada, la cubrió con un pedazo de corteza de árbol y le extendió el regalo a Angélica, así, como quien extiende un plato de dulces—. Toma, es para ti.

—¿Qué es?

—Una idea.

—¿Qué idea?

Puerto sonrió, turbado:

—Mira, pues.

Angélica se rio y comenzó a quitar la corteza bien despacito (porque ella era así: adoraba las sorpresas, y por eso siempre quería que duraran). Vio la puntica de la idea y la risa fue desapareciendo. Tiró la corteza lejos, vio la idea entera, abrió mucho los ojos.

Puerto la miraba sintiendo en el pecho que el corazón se le encogía asustado. ¿Y si a Angélica no le gustaba el regalo?

De repente ella gritó, entusiasmada:

—¡Pero qué idea tan maravillosa, Puerto!

Y el corazón, entonces, salió como quien sale bailando.

—¿Te ha gustado de verdad?

—¿Que si me ha gustado? ¿Que si me ha gustado? —y Angélica reía, batía las alas, zapateaba.

Después reflexionó que le gustaba tanto la idea que la iba a guardar bien guardada para que nadie la moviera. Encontró allí cerca una caja de zapatos. La limpió bien, enderezó la tapa, echó la idea adentro.

—Ahora tenemos que descubrir un escondrijo para guardarla —dijo.

Salieron a buscarlo.

Decidieron esconder la idea cerca del lugar donde se habían encontrado. Cavaron un hueco. Enterraron la caja. Estaban echándole tierra encima cuando Puerto preguntó:

—¿No es mejor hacer un agujerito en la caja para que la idea pueda respirar?

Lo hicieron, y marcaron el lugar del escondrijo con un dibujo en el suelo.

Después, Puerto y Angélica salieron de paseo.

Anduvieron mucho. Charlando, riendo, encantados con las cosas que cada uno le contaba al otro.

Anduvieron mucho, mucho. Y durante el camino, Angélica le iba dando una clasecita de leer por aquí, otra de escribir por allí, una de música después. A cada momento se asombraba:

—¡Caramba, pero qué inteligente eres, Puerto! Tú lo aprendes todo corriendo.

Él se ponía rojo hasta más no poder. ¡Tan rojo y tan contento! Se paraba en el camino y entonces le enseñaba a Angélica cómo se hacía en un instante una hoguera usando sólo un fósforo, cómo se

hacían bonitos dibujos[6], cómo se cocinaban un montón de platos. Ella entonces le enseñaba cómo se cocinaban otros, andaban otra vez, ella le enseñaba a bailar. Saltaban de una cosa a otra, y en uno de esos saltos ella preguntó:

—¿Tú eres mi novio?

—Lo soy. ¿Y tú eres mi novia?

—Así parece.

Entonces acordaron que un día se iban a casar. Y después, en otro salto, acordaron que, al volver del paseo, hablarían de la idea que habían guardado en la caja de zapatos.

6 Nadie le había enseñado a Puerto a dibujar, pero nosotros somos así: hay cosas que nacemos sabiéndolas.

Capítulo VII
La idea

Que Puerto le dio a Angélica era así:

"¿No habías dicho que querías trabajar en algo que te pareciera maravilloso?

¿No habías dicho que un día querías contar tu historia para que la oyeran otros?

¿Sí? ¡Pues mezcla las dos cosas, Angélica!

Toma todo lo que me contaste en el restaurante, haz una obrita de teatro con tu historia y sal a mostrarla por ahí.

Punto: fin de la idea".

Angélica y Puerto comenzaron a trabajar, entonces, en la obra de teatro. Todos los días se encontraban y se quedaban discutiendo horas y horas sobre cómo sería una escena, cómo sería otra. En cuanto llegaban a una conclusión, iban pasando al papel los parlamentos que inventaban para los personajes.

Puerto ya había aprendido a escribir, pero le seguía gustando más dibujar y, así, iba dibujando en el suelo todo lo que inventaba. Dibujó un escenario que era la fachada de la casa de Angélica, con una puerta, una ventana, una flor que nacía en el jardín, un avión que volaba en el cielo.

—Oye, Angélica: voy a conseguir una sábana bien grande para dibujar este escenario. Después colgamos la sábana como una cortina de ducha como las de los que tienen ducha. Cuando se abra la cortina, significará que entramos en la casa.

Después dibujó un sol de cartón, con ojos, boca, orejas y nariz. Dibujó a los hermanos de Angélica y, sin saber por qué, dibujó a los ocho en fila. Fue entonces cuando tuvo la idea de hacer un "trencito de hermanos".

—¿Qué te parece esta idea, Angélica?

—Me gusta.

Comenzaron entonces a imaginar cómo sería el tren. A medida que lo iban imaginando, Angélica iba escribiendo. Cuando el tren quedó listo, corrigieron, tacharon, escribieron de nuevo, corrigieron otra vez, hasta que les pareció que estaba bien.

Fueron haciendo así con todas las escenas de la obra. Y poquito a poco, muy poquito a poco, la idea (que cuando Angélica la guardó en la caja de zapatos sólo tenía nueve líneas) fue creciendo como pastel en el horno; cada día que pasaba crecía un poco más.

A veces se atascaban en una escena. Se rompían la cabeza, pero no servía de nada: la escena no salía bien de ninguna manera.

—¡Caramba, qué cosa! —protestaba Puerto—. Pienso, dibujo, escribo, pero no consigo explicar lo que quiero decir.

A Angélica también le daba un desconsuelo enorme.

—¿Por qué cuando las cosas se piensan son tan fáciles, y a la hora de escribir se vuelven tan difíciles?

Era una lucha para desatascar las escenas, pero acababan saliendo. Unas salían derechas. Otras, torcidas. Fue por eso por lo que ambos decidieron meter en la obra a un explicador, para ver si él explicaba derecho todo aquello que salía torcido. Y después hicieron al explicador con la manía, a cada rato, de dar unos toques de corneta.

Pasó un buen tiempo hasta que la obra quedó lista, pero el día que estuvo, Puerto y Angélica casi estallaban de contento: no sabían que fuera tan bueno hacer algo difícil e ir hasta el fin sin desanimarse.

Angélica quería que la obra se llamara *La verdad de la cigüeña*, pero Puerto creía que *Angélica* era mucho mejor; y la obra acabó llamándose así, *Angélica*. Tenía trece personajes: el explicador, el abuelo, el padre, la madre, Angélica y los ocho hermanos. Y era así:

Capítulo VIII
"Angélica"

PRIMER ACTO

EXPLICADOR: ¡Totorotototó! Señoras, señores, niños, animales de todas las especies, distinguido público: ¡Buenas tardes! Hoy vamos a presentar una obra de teatro llamada *Angélica*. La obra tiene dos actos, el primero de noventa centímetros y el segundo de un metro diez. Como ahí afuera uno siempre presenta a las personas que nunca se han visto, nos pareció que en el escenario teníamos que hacer lo mismo. Vamos, pues, a comenzar. La que está entrando es Angélica. ¡Hola,

Angélica! ¿Cómo estás? Mira, quería presentarte al público. Allí está.

ANGÉLICA: Mucho gusto. Puede que no lo parezca, pero soy una cigüeña. Y soy una cigüeña con padre, madre, abuelo y un montón de hermanos. Ese que viene ahí es mi abuelo.

ABUELO: Buenas tardes. Es un placer conocerlos a todos.

ANGÉLICA: ¿Cuántos años tienes, abuelo?

ABUELO: Un montón. No diré cuántos, si no les parecería muy viejo.

ANGÉLICA: ¿Cuántas horas duermes por día, abuelo?

ABUELO: Un montón. No diré cuántas, si no les parecería muy dormilón.

ANGÉLICA: ¿Cuántas comidas haces por día, abuelo?

ABUELO: Pocas.

ANGÉLICA: Abuelo...

ABUELO: Muy pocas.

ANGÉLICA: Di la verdad, abuelo...

ABUELO: Un montón. No diré cuántas, si no les parecería muy glotón. A propósito de eso, es hora de hacer una comidita. Chao.

ANGÉLICA: Esos que acaban de llegar son papá y mamá.

PAPÁ: Mucho gusto.

MAMÁ: ¡Mucho gusto, igualmente!

PAPÁ: Yo soy un jefe de familia feliz.

MAMÁ: ¡Tan feliz!

PAPÁ: Mis hijos me respetan, mis vecinos me respetan, todo el mundo me respeta.

MAMÁ: ¡Yo también!

PAPÁ: ¿También qué?

MAMÁ: Te respeto.

PAPÁ: Ah, pues haces muy bien. Si hay una cosa que adoro es el respeto, y si hay otra que detesto es la falta de respeto.

MAMÁ: Yo también.

PAPÁ: Además, nosotros somos la familia más respetada de este lugar.

MAMÁ: ¡Somos tan respetados!

PAPÁ: Bueno, ya nos hemos presentado, ahora nos podemos ir.

MAMÁ: Sí, vámonos.

ANGÉLICA: Y ese trencito que viene ahí son mis ocho hermanos.

LOS HERMANOS: ¡Uuuuuuuuuu!... Chucuchucu, chucuchucu, chucuchucu...

EXPLICADOR: Desde muy pequeños tienen la manía de andar así: adonde va uno, van todos.

ANGÉLICA: ¡Oigan, muchachos! ¿Quieren hacer el favor de parar un momento y presentarse?

LOS HERMANOS: Me llamo Lutero. ¡Hola!
Y yo Luis. ¡Hola!
Mi nombre es Luva. ¡Hola!
Y el mío Lucas. ¡Hola!
Yo soy Luna. ¡Aló!
Y yo soy Lumbre. ¡Olá!

Yo soy Ludo. ¡Hola, hola!
Y yo Lux. Buenas tardes, querido público.

LUTERO: ¡Uuuuuuuuuuuuuu!

LOS HERMANOS: ¡Chucuchucu, chucuchucu, chucu-CHAO!

ANGÉLICA: Y como, a veces, las obras no explican todo lo que la gente quiere saber, nos pareció que era mejor tener un explicador. Ahí está. Cualquier cosa que quieran saber, basta con preguntársela a él. Y ahora voy a representar. Hasta pronto.

EXPLICADOR: Como es de día, voy a aprovechar un clavo que estoy viendo allí para colgar el sol. Tengo también una luna guardada en el bolsillo. Vamos a ver si en algún momento se hace de noche para que ella pueda aparecer. Aquí detrás está la casa de Angélica en la época en que Angélica aún no había nacido, pero estaba por nacer. Voy a abrir el telón. Listo. Les puede parecer raro que la casa sólo tenga dentro ese huevo, pero las casas de cigüeña son así: muy vacías y..., ¡oye, Lux!, ¿qué estás haciendo escondido ahí detrás?

LUX: Es que ahora mismo mamá va a llegar para empollar el huevo, y como tiene esa manía de no perder el tiempo, siempre que está empollando, se pone a tejer.

EXPLICADOR: ¿Y?

LUX: ¡Es tan divertido! Ella no para de tejer una manta que está siempre del mismo tamaño: yo me quedo escondido aquí, y todo lo que va tejiendo de un lado, yo halo el hilo y lo voy destejiendo del otro. Muy divertido.

EXPLICADOR: ¿No descansas, no?

LUX: Hoy estoy pensando en acabar con la manta de una vez. Huy, ahí viene toda la familia.

EXPLICADOR: Entonces, déjame que me quede en ese rincón para no estorbar.

MAMÁ: ¿Dónde está la escalerita?

PAPÁ: Ya la están trayendo los niños.

ABUELO: Nunca había visto un huevo tan grande.

MAMÁ: Ni yo. No se puede empollar sin escalera.

LUTERO: Listo, mamá. Puedes subir.

MAMÁ: Gracias. Alcánzame mi tejido, Luva. ¡Ay, ay! No veo el día de acabar esa manta.

LUNA: Mamá, ¿cuándo vamos a tener otro hermanito?

MAMÁ: Está por nacer en cualquier momento.

LUIS: ¿Y cómo se va a llamar?

PAPÁ: Si es niño, Lucio; si es niña, Luneta. Me gustan esos nombres.

MAMÁ: ¡A mí también me gustan mucho! Qué cosa tan extraña, no sé qué pasa: yo tejo, tejo, tejo, y la manta está siempre del mismo tamaño.

ABUELO: Mi reloj ha dado las cuatro. Es hora de comer alguna cosita.

LUVA: Me gusta tanto el reloj del abuelo: a cualquier hora, da la hora de comer.

PAPÁ: El único reloj seguro es el de la torre. Y no ha dado las cuatro.

ABUELO: Claro que las ha dado. Yo lo he oído.

MAMÁ: Pues yo he oído dar las dos. Y las dos es la hora de la siesta. Vamos a dormir.

PAPÁ: No ha dado ni las cuatro ni las dos.

MAMÁ: ¿Qué es lo que ha dado entonces?

PAPÁ: No ha dado nada.

TODOS: ¡Ah!...

MAMÁ: Bien, si no ha dado nada nuevo, el asunto es seguir haciendo lo que ya estábamos haciendo antes.

RELOJ: Blemblemblembón tontín bleblén.

TODOS: ¡Ahora ha sonado!

LUNA: ¡Pero qué sonido más enredado! No he entendido nada.

ABUELO: ¡Las cuatro! ¡Hora de comer! ¿Qué vamos a comer?

PAPÁ: Ha dado las tres. Y las tres es la hora de quién dijo qué.

ABUELO: Ha dado las cuatro.

MAMÁ: Yo creo que ha dado las dos.

PAPÁ: Ha dado las tres.

LUMBRE: ¡Ah, así no hay manera! ¡Relooooooooooj! ¿Quieres hacer el favor de dar la hora otra vez bien clara para que podamos resolver esta situación?

RELOJ: Blen..., blen..., blen.

PAPÁ: ¿Lo ven? Yo soy el jefe de la casa y sé lo que digo: las tres, hora de quién dijo qué. ¡Qué bueno, me encanta esa hora! Muy bien, muy bien, vamos a ver: ¿quién dijo qué?

LUTERO: Hoy la profesora dijo en la clase que nadie puede matar a las cigüenas, porque las cigüeñas son las que traen los bebés al mundo.

PAPÁ: ¿Ven cómo nos respetan?
TODOS: ¡Qué bien!
PAPÁ: ¿Quién más dijo qué?
LUVA: Me encontré a un muchacho en la calle y me pidió que le ayudara a tener un hermano: está cansado de ser hijo único.

PAPÁ: ¿Ven qué importantes somos?
TODOS: ¡Qué bien!
LUNA: ¿Y qué le dijiste tú al muchacho?
LUVA: Le dije que le ayudaría.
LUNA: ¿Cómo?
LUVA: Ah, eso yo no lo sé.
PAPÁ: Y no hace falta saberlo, hija mía. En esos momentos, basta que uno diga que va a ayudar y punto: no hace falta nada más.
MAMÁ: Bueno, ahora la manta está yendo hacia atrás: voy tejiendo y se va haciendo mas pequeña.
PAPÁ: ¿Quién más dijo qué?
LUMBRE: En la hora del recreo, la hija de doña Emma dijo que es mentira que las cigüeñas traigamos a los bebés al mundo.
TODOS: ¡Psiu!
PAPÁ: ¡Habla bajo, niño!
ABUELO: ¿Y tú qué dijiste?
LUMBRE: Le di tantos picotazos que acabó diciéndole a todo el mundo que sí,

Angélica: [illegible] Casa [illegible]

→ Animales [illegible]

[illegible]

Lux: Explota [illegible] por

[illegible]

Angélica: [illegible] los [illegible] q' [illegible]

[illegible] →

que eran las cigüeñas las que traían a los bebés.

TODOS: ¡Ah, bueno!

MAMÁ: ¿Cómo es posible? La manta se está volviendo cada vez más pequeña.

PAPÁ: ¿Alguien más dijo algo más de nosotros, para nosotros, contra nosotros?

LUCAS: Sí. Cuando pasaba por la casa de doña Avestruz, mandó preguntar si podía pagarnos con una bandera el favor que nos estaba debiendo.

PAPÁ: ¿Con una bandera?

MAMÁ: ¡Las banderas son tan bonitas!

LUDO: Sí, papá, es una bandera con un dibujo donde vamos cargando a un bebé en el pico. Ella dijo que ese dibujo es muy conocido y muy bonito. Dijo que primero había pensado en bordar un cojín con ese dibujo, pero después se acordó de que si era un cojín todo el mundo se iba a sentar encima de nosotros. Por eso le pareció que era mejor bordar el dibujo en una bandera, y así, si ponemos la bandera al frente de nuestra casa, todo el que pase verá que ya tenemos hasta bandera y nos respetará aun más.

PAPÁ: ¡Pero qué idea más bonita! Y a mí que siempre me había parecido que doña Avestruz no tenía ninguna idea dentro de la cabeza.

MAMÁ: Yo también pensaba que... bueno, la manta se acabó.

RELOJ: Blen... blen.

LUIS: Las dos: llegó la hora de la siesta.

ABUELO: Qué gracioso, el tiempo está andando para atrás.

MAMÁ: Como la manta. ¡Ca!... ¿Acaso el tiempo también se va a acabar como la manta?

TODOS: ¿Acaso?

PAPÁ: ¿Qué ruido tan raro es ése que estoy oyendo?

ABUELO: Rarísimo.

LUNA: Tengo miedo, mamá.

LUDO: Yo también: el ruido se está volviendo cada vez más extraño.

PAPÁ: Está aumentando... está aumentando...

LUTERO: Tal vez sea el ruido del tiempo que se acaba...

TODOS: ¿Sí?

ABUELO: ¿El tiempo que se acaba...?

MAMÁ: ¿...o que comienza?

LUX: ¡El huevo se está rompiendo! ¡El huevo se está rompiendo...! ¡El huevo...!

ANGÉLICA: ¡Nací!

PAPÁ: Podrías anunciar que naciste gritando más bajo, hija mía.

ANGÉLICA: Nací.

TODOS: ¡Viva! ¡Viva! ¡Un abrazo! ¡Qué maravilloso es nacer! ¡Otro abrazo!

MAMÁ: ¡Es mujer! Se llamará Luneta.

PAPÁ: ¿Vamos a enseñarle a Luneta a andar?

LOS HERMANOS: ¡Sí!

PAPÁ: Ven aquí, Luneta, ven a abrazar a papá.

ABUELO: Qué despierta es: acaba de salir del huevo.

PAPÁ: No, no, Luneta, ven por aquí. Mira, voy a trazar una línea con esta tiza. Tú sólo vas a andar por la línea que yo trace, ¿ves? Listo. Ven.

ABUELO: ¡No es por ahí, no, Luneta! ¡Nada de eso, niña!

LUTERO: ¡Ca!, ella no anduvo por la línea.

LOS HERMANOS: No anduvo, papá.

MAMÁ: Qué lástima. Pero no es nada: el resto lo va a hacer bien. ¿Vamos a enseñarle a Luneta a hablar?

LOS HERMANOS: ¡Sí!

MAMÁ: Di papá.

ANGÉLICA: Mamá.

MAMÁ: No, te estoy diciendo que digas papá.

ANGÉLICA: Mamá.
LUTERO: ¡Ca!, ella tiene espíritu de puerco, papa.
LUX: Anda diferente a nosotros.
LUIS: Se ríe diferente.
LUNA: Toda ella es diferente.
MAMÁ: Entonces es mejor que no tenga un nombre que comience con *lu*.
PAPÁ: Sí. Vamos a pensar en otro nombre.
ABUELO: Pero un nombre de muy buena calidad, porque va a tener que usarlo la vida entera.
PAPÁ: Entonces vamos a comenzar a andar de un lado a otro.
EXPLICADOR: Ellos están andando así porque dicen que cuando uno anda de un lado a otro piensa muchísimo mejor.
RELOJ: Blen... blen... blen...
MAMÁ: ¡Las tres otra vez! Es la hora de decidir el nombre.
ABUELO: ¡En fila! ¡En fila! Los mayores delante y los menores detrás. Así. Cada uno al pasar junto a la recién nacida le dará un nombre.
PAPÁ: Rosa María.
ABUELO: Azul Celeste.
MAMÁ: Antuerpia.
LUTERO: Angélica.

LUNA: Violeta.
LUVA: Esponja.
LUDO: Claraboya.
LUMBRE: Lluvia de Plata.
LUCAS: Sol Poniente.
LUX: Do-re-mi.

LUIS: Fa.
ANGÉLICA: Yo quiero Angélica.
PAPÁ: De acuerdo: para toda la vida tú vas a ser Angélica.
RELOJ: Blemblén doce veces: tengo pereza de dar todas las horas.
ABUELO: ¡Mediodía! ¡Qué bueno, es la hora del almuerzo! ¡Vamos! ¡Vamos todos!
EXPLICADOR: Oye, Lutero, aprovecha para llevarte el huevo. Gracias. El tiempo fue pasando, pasando, pasó. Angélica aprendió a andar y a volar muy bien; aprendió a pensar, a leer y a escribir. Y durante todo el tiempo que pasó, la bandera de doña Avestruz quedó lista. Todos los días, el abuelo y Angélica salían marchando con la bandera y cantando una marchita que la familia había hecho. Miren: ahí vienen.
ABUELO Y ANGÉLICA: Marcha, cigüeña, y aprende esta lección: Nuestra bandera no es una broma. ¡Es una gran emoción!

ANGÉLICA: Abuelo, qué cosa más maravillosa es ser cigüeña, ¿no?
ABUELO: Maravillosísima.
ANGÉLICA: Traer a todos los bebés al mundo, ¿te das cuenta?
ABUELO: Pues sí.
ANGÉLICA: A mí me parece estupendo ese asunto de que nuestra familia ande de arriba a abajo buscando a los bebés que están guardados en el cielo. Y además esa historia de traerlos en el pico envuelticos en un pañal, me parece lo máximo, ¿no te parece?
ABUELO: ¿Vamos a marchar un poco más?
ANGÉLICA: No es raro que todos los otros animales tengan envidia de nosotros. Nadie carga bebés. Sólo nosotros. ¡Fantástico!, ¿no, abuelo?
ABUELO: Marcha, cigüeña, y aprende esta lección...
ANGÉLICA: Abuelo, ¿cuándo comenzaré a cargar bebés?
ABUELO: Nuestra bandera...
ANGÉLICA: Abuelo, no sigas cambiando de tema.
ABUELO: No es una broma...
ANGÉLICA: Abuelo, escucha, abuelo, ya estoy creciendo. ¿Cuándo voy a comenzar a cargar bebés yo también, ah?

ABUELO: ¡Es una gran emoción!

ANGÉLICA: ¡Abuelo! Oye, abuelo, no te vayas. ¡Oye! Listo: desapareció.

LOS HERMANOS: ¡Uuuuuuuuu! Chucu-boba, chucu-boba, chucu-boba...

ANGÉLICA: ¿Qué nuevo ruido está haciendo el tren?

LUCAS: ¡Qué boba es Angélica!

LOS HERMANOS: ¡Cua cua cua cua cua!

ANGÉLICA: ¿Boba por qué?

LUDO: ¡Quiere saber cuándo va a comenzar a cargar bebés!

LOS HERMANOS: ¡Cua cua cua cua cua!

ANGÉLICA: ¿Y qué tiene que quiera saberlo?

LUTERO: Esa historia de decir que los bebés están guardados en el cielo y que son las cigüeñas las que los traen al mundo es una mentira, Angélica.

ANGÉLICA: ¿Mentira?

LUNA: El lugar de guardar a los bebés es la barriga de la mamá, gran boba.

ANGÉLICA: ¿Es dónde?

LUTERO: La barriga de la mamá es como un jardín.

LUX: Explícate mejor, Lutero: ella no lo entiende.

LUTERO: Cuando una persona tiene un jardín y quiere ver nacer una flor, echa una semilla en la tierra, ¿o no? La semilla crece dentro de la tierra, después se vuelve flor. Cuando una pareja quiere ver nacer un hijo, el hombre echa una semilla en la mujer. La semilla va creciendo dentro de la madre. Como en un jardín. Sólo que en vez de hacerse flor, se hace bebé.

ANGÉLICA: ¿Es así?

LOS HERMANOS: Sí.

ANGÉLICA: ¡Qué cosa tan bien hecha!

LUTERO: Pues sí.

ANGÉLICA: Pero si la barriga de la madre es un lugar tan maravilloso para guardar a los niños, ¿por qué inventaron esa historia de las cigüeñas?

LUIS: ¡Yo qué sé! Parece que les gustó más.

LUTERO: Lo que interesa es que el invento funcionó.

LOS HERMANOS: ¡Qué bien que funcionó!

LUTERO: Todo el mundo nos respeta montones a causa de ese invento.

LOS HERMANOS: Chucuchucu qué bien, chucuchucu qué bien, chucu...

ANGÉLICA: ¡Pero es mentira!

LOS HERMANOS: Claro.

ANGÉLICA: Pero si sabemos que es mentira, ¿por qué vivimos difundiendo esa idea? ¿Por qué tenemos hasta una bandera bordada con una cigüeña que carga un bebé?

LUTERO: Porque gracias a esa mentira vivimos bien, nos hacen regalos, todo el mundo nos respeta, nos...

ANGÉLICA: Pero si sabemos que es mentira, ¡no podemos pasarles la mentira a los otros! Tenemos que parar y decir: ¡Es mentira! ¡Esa idea no vale!

LUTERO: Ah, espera, Angélica: ¿y así, cómo quedamos?

ANGÉLICA: ¿Y cómo se quedan todos los niños cuando un día descubren la verdad? Se quedan como yo estoy en este momento: con una rabia tremenda. ¡Lo que da más rabia es ver que te han engañado! ¿Y ahora quieren que salga de aquí y vaya a engañar a los otros como yo misma fui engañada? ¡No lo acepto! ¡No lo acepto! ¡Que no! Caramba, tengo tanta rabia que hasta me he atorado. ¡No lo a-cep-to!

LUNA: Vaya, se ha ido tan atorada que es capaz de no desatorarse nunca más.

LUX: ¿Te parece?

LUVA: ¿Y si Angélica sigue sin aceptarlo, cómo quedamos nosotros?

LUX: ¿Te das cuenta?

LUIS: ¿No encontrará una forma de vivir sin engañar a nadie?

LUX: Pero ¿qué forma puede ser?

EXPLICADOR: Es la hora de cerrar el telón. Con permiso. Nadie debe inquietarse, porque todo lo que quieren saber los hermanos de Angélica y también nosotros, todos lo sabremos en el segundo acto de esta maravillosa obra[7], pero antes vamos a hacer un intermedio para quien quiera comer, beber o hacer cualquier cosita. ¡Totorototototó! Atención: in-ter-me-dio.

SEGUNDO ACTO

EXPLICADOR: ¿Cómo están? ¿Bien? Entonces, déjenme abrir el telón porque la familia está ahí, esperando para continuar la historia.

MAMÁ: Ahora Angélica está siempre así. Desde el día en que supo la verdad. No juega más, no se ríe más, siempre está pensando.

---

7 Angélica no quería de ningún modo usar la palabra "maravillosa" porque le parecía falta de modestia. Pero Puerto insistió porque consideraba que tenía que hacerle propaganda a la obra, y la palabra maravillosa acabó por quedarse.

LUVA: Se queda junto a la ventana, de esta manera, y piensa con tanta fuerza que podemos hablar como queramos y ella ni escucha. Sólo mírala.

ABUELO: Nunca más quiso volver a marchar conmigo.

PAPÁ: Ya se le pasará.

MAMÁ: Todos los días dices que se le pasará y nunca se le pasa.

PAPÁ: Se le pasará: soy el jefe de la casa y sé muy bien lo que digo.

MAMÁ: Me parece mejor ponerme a suspirar: me hace bien.

TODOS: ¡Ay, ay!

LUNA: El otro día Angélica también dio un suspiro tal, que pude verlo.

LUVA: ¿A quién se lo dio?

LUNA: Ah, eso no lo sé.

LUIS: Pero estornudar, nunca volvió a estornudar.

LUTERO: Ni a toser ni a hablar.

LUDO: ¿Acaso hoy hablará?

MAMÁ: Ella prometió que a las cuatro y media en punto tendría una conversación con nosotros.

LUMBRE: Al tiempo le cuesta mucho pasar.

LUX: Papá, las cuatro y media ¿quedan del lado de allá o del lado de acá?

PAPÁ: Del lado de allá.

LUX: Entonces ¿por qué no vamos hacia allá para llegar más de prisa a las cuatro y media?

ABUELO: Eso, buena idea. Vamos todos al lado de allá.

RELOJ: Blen… blen… blen… blen… bl.

LUX: ¿Lo ven? Mi idea ha funcionado.

ANGÉLICA: ¡Las cuatro y media! Es hora de hablar. Atchís. Ay, ay. Atchís. Ay, ay. Atchís. Ay...

LUNA: ¿Qué pasa, Angélica? ¿Vas a hablar o te vas a quedar ahí estornudando y suspirando?

ANGÉLICA: Voy a hablar. Uno, dos, tres y ya. Bien, quería decir que he pensado todo cuanto podía pensar, y llegué a la conclusión de que saber que algo es mentira y seguir engañando con esa mentira a los demás es algo que no es posible.

PAPÁ: ¿No es posible para quién?

ANGÉLICA: Para nadie. Ni para quien miente, ni para quien es engañado. Así que yo quería que quedáramos en esto: mañana por la mañana, bien temprano, comenzamos a difundir la verdad.

MAMÁ: ¿Qué verdad?

ANGÉLICA: La verdad de las cigüeñas: que no tenemos nada que ver con el nacimiento de los bebés.

LA FAMILIA: ¡Hmmm!

ANGÉLICA: Ya no tendremos que fingir algo que no es. ¿Se dan cuenta de qué estupendo?

LA FAMILIA: ¡Hmmm!

PAPÁ: ¡Reunión de familia! ¡De prisa! Vamos a abrazarnos y a formar la rueda.

ANGÉLICA: Yo también quiero entrar en la rueda.

PAPÁ: No puedes.

ANGÉLICA: Deja que entre aquí, Lutero. Ábreme aquí, Luna. Abuelo, deja que entre junto a ti. Quiero escuchar lo que están hablando. Déjenme entrar. Si no entro, no entenderé nada de lo que están diciendo.

LUX: ¡Ay, Angélica! No me hales así el ala.

ANGÉLICA: Deja que entre, Lux, deja que entre. ¡Entré!

PAPÁ: Atención: deshagan la rueda. La reunión terminó. Voy a echar un discurso.

MAMÁ: ¡Qué bueno! ¡Me gustan tanto los discursos!

PAPÁ: La familia se ha reunido, ha discutido y ha resuelto lo siguiente: Nadie va a difundir ninguna verdad. Todo el mundo nos respeta gracias a nuestra mentira. Y si hay algo que adoro es el respeto.

LOS OTROS: ¡Yo también!

PAPÁ: Si toda la vida hemos vivido mintiendo de ese modo, ¿para qué cambiar?

LOS OTROS: ¿Para qué?

PAPÁ: Nuestra familia no va a cambiar y de aquí no saldrá ninguna verdad. Soy el jefe de la casa: he dicho, dicho está.

LOS OTROS: ¡Muy bien! ¡Bis! ¡Bis! ¡Bis!

PAPÁ: Nuestra familia no va a cambiar y de aquí no saldrá ninguna verdad. Soy el jefe de la casa: he dicho, dicho está.

ANGÉLICA: Pero, papá, si sigo fingiendo algo que no soy, seré muy infeliz.

PAPÁ: Tonterías.

ANGÉLICA: Pero, mamá, yo no aguanto decir que voy a echarle una mano —y no sé qué mano darle— a todo el que me pide un bebé.

MAMÁ: Si tú difundes la verdad, harás de mí la madre más infeliz del mundo.

ANGÉLICA: Pero, abuelo, tú mismo dijiste que vivir mintiendo es muy feo. Quédate de mi lado, piensa como yo.

ABUELO: Ah, hija mía, discúlpame, he mentido siempre: ahora estoy viejo para cambiar. Pero no te pongas triste, que ahora voy allí adentro a prepararte una comidita bien rica. Hasta pronto.

PAPÁ: Ya dije lo que pensaba; me voy.

MAMÁ: Me voy contigo.

LUMBRE: Mira, Angélica, si le cuentas la verdad a alguien, te doy unos picotazos que ya verás.

LUCAS: Y yo nunca más hablaré contigo, ¿sabes?

LUIS: Ni yo.

LUNA: ¡No lo cuentes, Angélica!

LUX: Te lo estamos pidiendo por favor, ¿sí?

LUDO: Caramba, hermana, tienes espíritu de puerco. ¡Qué aguafiestas!

LUX: No te enfades, Angélica. Mira: si decimos siempre la misma mentira, ésta acaba teniendo cara de verdad.

ANGÉLICA: Pues yo no lo creo.

LUTERO: ¡Uuuuuuuu! Es hora de formar el tren.

LUMBRE: ¿Sabes, Angélica? Si entras en

nuestro tren, acabas pensando como pensamos nosotros.

ANGÉLICA: Pero yo no quiero pensar como ustedes piensan; yo creo que están equivocados.

LUX: Ven, Angélica. Tú eres el vagón número nueve y te enganchas aquí detrás de mí. Va a ser fantástico. Ven.

LOS OTROS: ¡Ven, Angélica!

ANGÉLICA: ¡No!

LUTERO: ¡Uuuuuuuuuuuuuu! El tren ya va a salir, Angélica. ¡Ven!

ANGÉLICA: No sé vivir fingiendo: no voy.

LOS HERMANOS: Chucuchucu, chucuchucu, ¡chucu-CHAO!

EXPLICADOR: En ese momento Angélica se dio cuenta de que estaba confundida por completo: si continuaba fingiendo, viviría infeliz, si difundía la verdad, haría a la familia infeliz, y tampoco quería eso. Pobre Angélica. De ahí en adelante ya no tuvo sosiego: andaba por toda la casa buscando una solución. Miren cómo busca. Pero no encontró nada. El tiempo pasó, ella creció, siguió teniendo que fingir, se fue poniendo cada vez más triste, vivía pensando. Un día, Lux decidió mostrarle un libro.

LUX: ¡Angélica, he leído un libro tan maravilloso! Aquí está, mira... Cuenta la vida de un montón de animales. Habla también de nosotros, y dice que el mundo tiene unos países donde no hay cigüeñas. Entonces pensé: Angélica debería ir a vivir a un país así. Si en esos lugares nadie conoce a las cigüeñas, nadie te va a encargar un bebé, ni te va a decir que eres tú quien traes a los niños, y así ya no tienes que fingir más ni estar triste.

ANGÉLICA: ¿Y tú crees que no lo he pensado ya, Lux?

LUX: ¿Sí? ¿Ya?

ANGÉLICA: El otro día dije que me iba a uno de esos países, pero papá dijo que no.

LUX: ¿Por qué? Ahora eres una cigüeña grande, puedes volar adonde quieras.

ANGÉLICA: Pues sí, pero papá dijo que no, mamá comenzó a llorar, el abuelo me pidió que me quedara, y yo acabé prometiendo que no me iría. ¡Ah, Lux, soy tan infeliz! Preferiría no haber nacido nunca.

LUX: ¿Eso preferirías, Angélica?

ANGÉLICA: Sí.

LUX: Entonces, ¿por qué no hacemos que el tiempo vuelva atrás?

ANGÉLICA: ¿Será posible?

LUX: Claro que sí. Serás otra vez pequeñita, cada vez más pequeñita, hasta acabar otra vez dentro del huevo. ¿Quieres?

ANGÉLICA: Sí, quiero.

LUX: Entonces voy allá a pedirle al tiempo que vuelva atrás.

ANGÉLICA: ¡Espera, Lux, ven aquí! Eso no puede ser así. Si el tiempo anda hacia atrás, todos nosotros vamos a acabar dentro del huevo otra vez: papá, mamá, tú, el abuelo...

LUX: No, Angélica. El tiempo no es uno solo para todos. Cada uno tiene un tiempo diferente.

ANGÉLICA: Ah, ¿sí?

LUX: Claro. Ahora voy a tratar de descubrir *tu* tiempo.

ANGÉLICA: ¿Tú no sabes dónde vive?

LUX: No, pero lo voy a descubrir. Voy a hablar con él, a explicarle tu caso y a pedirle que dé marcha atrás. ¡Adiós!

EXPLICADOR: Y Angélica se quedó esperando para ver qué ocurría. Esperó, esperó, después comenzó a encogerse de frío.

ANGÉLICA: Explicador, explíqueme una cosa: ¿En qué tiempo estamos?

EXPLICADOR: En los finales de la primavera; ya vamos a entrar en el verano.

ANGÉLICA: Pues entonces, ¿cómo es que tengo tanto frío y veo todo con cara de invierno?

EXPLICADOR: Es que Lux ya habló con tu tiempo y éste está andando hacia atrás.

ANGÉLICA: ¡Ah! Entonces por eso estoy disminuyendo de tamaño.

EXPLICADOR: Quédate quietecita en un rincón, Angélica: dentro de poco ya no vas a poder andar. Eso es. Ahí. Quietecita.

LUX: ¡Angélica! Angélica, mira el huevo donde naciste. Me pareció que era mejor traerlo de vuelta para que tú puedas desnacer. Lo voy a dejar aquí, a tu ladito, ¿ves? Tu tiempo me pareció muy simpático. Sabes que nos hicimos amigos y que yo...

EXPLICADOR: ¡Chist! No hables tanto, Lux: alguien que está disminuyendo de tamaño necesita sosiego.

LUX: Está bien. Me quedaré aquí, detrás del huevo, para ver el desnacimiento de Angélica.

EXPLICADOR: Y Angélica fue achicándose cada vez más. Llamaron a un montón de médicos, ninguno pudo remediar esa disminución de tamaño, la cosa fue empeorando, y cuando la familia vio que de verdad no tenía remedio, se horrorizó y comenzó a llorar. Miren: ahí viene todo el mundo con la cara hinchada de llorar.

PAPÁ: Hijita mía, habla con papá, dile qué estás sintiendo.

ANGÉLICA: Pa-pá. Ma-má.

MAMÁ: Ahora sólo sabe decir eso y nada más.

ABUELO: Te gustaba tanto marchar conmigo, Angélica. Ven. Vamos a marchar un poquito, hija mía. ¿Te acuerdas de nuestra música? Marcha, cigüeña…

LUNA: Ahora sólo sabe gatear, abuelo.

MAMÁ: ¡Ah, qué tristeza!

LUX: Abuelo...

ABUELO: ¡Huy, qué susto me has dado, Lux! Qué manía tienes de vivir escondiéndote detrás del huevo.

LUX: Abuelo, ven aquí, explícame una cosa: ¿Por qué cuando Angélica vivía infeliz diciendo que quería no haber nacido nadie le hacía caso, y ahora que está cada vez más cerca de no haber nacido todo el mundo vive llorando? ¿Por qué, ah?

ABUELO: ¿Cómo sabes que está cada vez más cerca de no haber nacido?

LUX: Porque fui yo el que habló con el tiempo de ella, claro. No te imaginas todo lo que le dije. Entonces, él aceptó, y resolvió andar hacia atrás. Dentro de poco, Angélica entrará en el huevo y desnacerá. Bien, ¿no crees, abuelo? Ella se va a poner tan contenta...

ABUELO: Pero entonces tú... tú... ¡Ha sido Lux! ¡El culpable de todo ha sido Lux! ¡Ah, niño travieso! Él ha hecho que el tiempo de Angélica ande para atrás. Y ahora Angélica va a desnacer.

LOS HERMANOS: ¡Ca...!

PAPÁ: ¡Ah, niño imposible! ¿Qué haré contigo ahora?

LUX: No lo sé. Lo único que sé es que no soy el culpable. Los que tienen la culpa de todo son ustedes, que hacían a Angélica tan infeliz que ella sólo quería no haber nacido.

LA FAMILIA: ¿Nosotros?

LUX: ¡Ustedes, sí! Primero ella quería contar la verdad y no la dejaron. Después quería irse a un lugar sin cigüeñas para poder vivir sin fingir, pero tampoco lo aceptaron. Entonces, ella ya no quiso haber nacido. Nadie le hizo

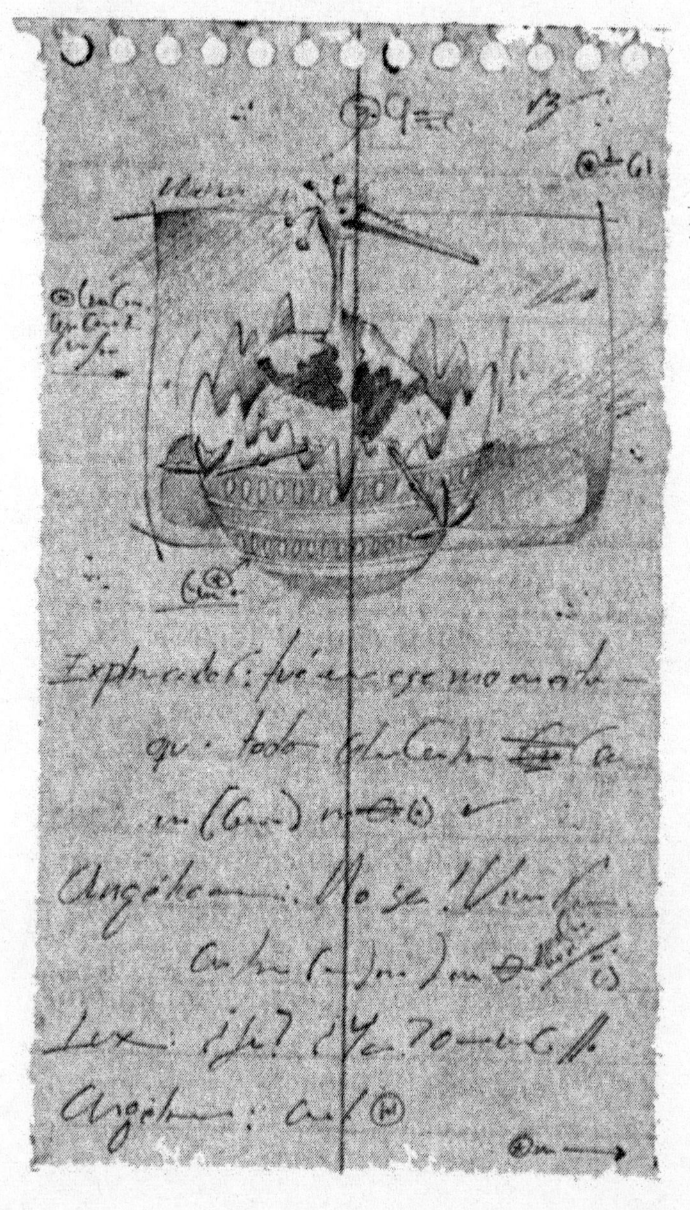

caso. Y yo resolví ayudar a Angélica. Eso es todo.

LUNA: Mira, papá, Angélica ya está con una pata dentro del huevo.

LOS HERMANOS: ¡Ca...!

MAMÁ: No quiero ver, no quiero ver.

LUVA: No dejes que entre en el huevo, papá.

PAPÁ: Pero, ¿qué puedo hacer?

ABUELO: Sólo el tiempo de Angélica puede hacer algo. Ve a hablar con él, Lux. Dile que ande hacia adelante otra vez.

LUX: Pero así ustedes seguirán haciendo infeliz a Angélica, y ella continuará queriendo no haber nacido: no servirá de nada.

MAMÁ: Yo prometo que no la haré infeliz.

LUIS: Mira, papá, Angélica ya está con dos patas y un ala dentro del huevo.

LOS HERMANOS: ¡Ca. . .!

LUMBRE: Sácala afuera, papá.

PAPÁ: ¡Sal de dentro de ese huevo, Angélica!

LUMBRE: Hala con más fuerza, papá.

ABUELO: Ve a hablar con el tiempo de Angélica, Lux. ¡Corre!

LUX: Primero todo el mundo tiene que prometer que va a ayudar a Angélica.

MAMÁ: Yo ya lo he prometido.
ABUELO: Lo prometo, lo prometo.
LOS HERMANOS: Yo también lo prometo.
LUNA: ¡Ca!, papá, Angélica metió la otra ala dentro del huevo.
MAMÁ: ¡Anda, Lux, corre, vuela!
LUX: Pero falta que papá lo prometa.
PAPÁ: Sal de dentro del huevo, Angélica. ¡Sal, sal!
LOS HERMANOS: Prométela, papá.
PAPÁ: ¿Qué?
MAMÁ: Promete ayudar a Angélica a ser feliz.
PAPÁ: Lo prometo, lo prometo, pero ayúdame aquí. Yo solo no puedo halar.
LUX: Allá voy: bzzzzzzzzzz...
LUMBRE: Papá, papá, ella va a desnacer ahora mismo.
LOS HERMANOS: ¡Ca. . . !
PAPÁ: Ayúdenme aquí. Vamos a hacer fuerza juntos. Abuelo, hala conmigo hacia atrás.
ABUELO: ¡En fila! Todos en fila. Los mayores delante, los menores detrás. Cada uno agarrado de la cintura del otro. Así. Eso es.
PAPÁ: ¡Ahora! Fuerza. Más fuerza.
LOS HERMANOS: Ay. Huy. Hmmmmm. Ooooooh.

PAPÁ: Para hacer fuerza no es necesario gemir de esa manera. Hagan fuerza otra vez.

LUNA: Si Angélica sale del huevo de repente, nos vamos a dar el mayor golpe del mundo.

TODOS: ¡Ah!

LUNA: ¿No lo decía?

LUX: Arreglado: hablé con el... Pero bueno, ¿qué están haciendo todos ahí en el suelo?

LUNA: Mira, mamá, Angélica está creciendo otra vez, se está volviendo igualita a como era antes.

MAMÁ: ¡Qué maravilla!

LUX: Qué divertido es crecer así de prisa, como un globo.

ANGÉLICA: ¡Hola!

LA FAMILIA: ¡Viva! Angélica ha nacido de nuevo. ¡Hola, Angélica! Un abrazo, hija mía. ¡Viva! ¡Viva!

LUX: Todos quietos, que papá quiere hablar con Angélica.

PAPÁ: Escucha, Angélica, si quieres viajar, si quieres hacer la prueba de vivir en un lugar que no tenga cigüeñas... puedes hacerlo, ¿sabes?

MAMÁ: Claro, hija mía, lo importante es que seas feliz.

LOS HERMANOS: ¡Muy bien! ¡Bis! ¡Bis! ¡Bis!

MAMÁ: Claro, hija mía, lo importante es que seas feliz.

ANGÉLICA: ¡Ah, qué bien! Entonces me voy.

ABUELO: ¿Y a dónde vas?

ANGÉLICA: Al Brasil.

MAMÁ: Pero es tan lejos, vas a tener que volar tanto para llegar allá, me quedaré tan preocupada por...

LUX: Recuerda que lo has prometido, mamá.

MAMÁ: ¿Qué? ¡Ah, es verdad! Qué bien que vayas al Brasil, hija mía. Dicen que es muy bonito. ¿Mandarás unas fotografías?

ANGÉLICA: Sí, mamá, las mandaré. ¿Cuándo me puedo ir?

PAPÁ: Ahora mismo, si quieres.

ANGÉLICA: Está bien; entonces voy a despedirme de mi cuarto y ya me voy. Hasta ahora.

MAMÁ: ¿Qué le daremos de regalo de despedida?

ABUELO: ¿Por qué no le damos el botón?

PAPÁ: Eso es, buena idea. ¿Tú tienes el botón guardado, Lutero?

LUTERO: Aquí está.

MAMÁ: La cajita está dañada y no está bien dar un regalo dañado.

LUX: Pero Angélica no va a necesitar la cajita, sólo el botón...

MAMÁ: Entonces está bien. Dáselo, abuelo.

ANGÉLICA: Mi cuarto dijo que va a estar siempre ordenado esperando mi visita. No llevaré maleta para no cargar mucho peso: el vuelo es largo. Un abrazo, mamá. Otro, papá. Adiós, abuelo. Adiós a todos. Apenas llegue, mando noticias. Que les vaya bien.

LUX: Dale ya el regalo, abuelo.

ABUELO: ¿Ves este botón, Angélica? Era de mi abuelo. Él se lo dio a mi madre, mi madre me lo dio a mí, y yo se lo di a mi hijo.

PAPÁ: Pero ninguno de nosotros llegó a usarlo. Yo se lo di, entonces, a Lutero, que es el hijo mayor de la casa.

LUTERO: Pero yo tampoco lo voy a usar.

ANGÉLICA: ¡Qué botón tan precioso! ¿Para qué sirve?

ABUELO: Para abotonar las ideas. Abotona muy bien abotonado.

ANGÉLICA: ¡Qué hermoso! Y se usa en la cabeza, ¿no?

ABUELO: Sí. ¿Te lo puedo pegar?

ANGÉLICA: Sí.

MAMÁ: Luis, esconde esa lágrima que dejé

caer allí. Echala en el bolsillo para que nadie la vea, hijo mío.

ABUELO: Listo. Vas a vivir sola, Angélica; no puedes andar con las ideas desabotonadas, si no tu vida será muy difícil.

ANGÉLICA: ¡Oh, pero qué agradable es acariciar este botón! ¿Por qué nunca lo quisieron usar?

ABUELO: Es que... bien, Angélica, es decir... es aquella historia: para abotonar las ideas bien abotonadas, hay que tener coraje y dejar de fingir lo que no se es.

ANGÉLICA: Hmmm... ¿Y ustedes van a seguir fingiendo que traen a los bebés?

ABUELO: Nosotros... bien... pues... nosotros... pues, sí.

ANGÉLICA: Pero ¿por qué?

ABUELO: Ah, hija mía, es más fácil: no necesitamos cambiar.

PAPÁ: Cambiar da mucho trabajo.

MAMÁ: ¡Y hace falta tanto valor!

ANGÉLICA: Lo sé... Bueno, muchas gracias por el botón. Me encanta. Los quiero a todos, me van a hacer mucha falta. Cuando lleguen las vacaciones, volveré. Adiós.

MAMÁ: Ya: batió las alas y voló.

LUX: Quedémonos diciéndole adiós. Está mirando para atrás.

LUTERO: Toma la bandera, abuelo. Agítala bastante para decirle adiós también con la bandera.

ABUELO: ¿Vamos a decirle adiós desde la playa?

LOS HERMANOS: ¡Vamos! ¡Vamos!

PAPÁ: Pero sin escándalo. En orden. Vamos todos en fila. Todos cantando y marchando.

LA FAMILIA: Marcha, cigüeña, y aprende esta lección: Nuestra bandera no es una broma. ¡Es una gran emoción!

EXPLICADOR: Y así, mientras Angélica se va a vivir la vida que ella creía que debía vivir, llegamos al final de esta obra bastante agradable[8]. ¡Totorototototó! Una buena vida para todos ustedes. Adiós.

8 Puerto quería poner "obra sensacional", pero esta vez Angélica se opuso: dijo que era demasiada propaganda, y el "bastante agradable" (que a Puerto le resultaba insoportable) acabó quedándose.

Capítulo IX
Los actores

—Bien, ahora faltan los actores.

Angélica y Puerto, entonces, acordaron lo siguiente: ella conseguiría a los hermanos y él a los padres y al abuelo. Cada uno salió para un lado distinto.

Cuando Puerto iba doblando una esquina se tropezó con Canarito.

—¡Amigo! —gritó. Y los dos se abrazaron. El elefante había adelgazado muchísimo, y el cinturón de cola de cocodrilo, el que adoraba y que a todo el mundo le parecía fantástico, se le balanceaba en el cuerpo, todo flojo.

—¿Qué hay, Canarito? ¿Todo bien?

—No, absolutamente nada va bien. ¿Te acuerdas del empleo de huevo que había conseguido?

—Sí.

—Pues cuando acabó la Pascua, me pagaron en chocolate, ¿te parece bien? Protesté, claro. Sólo me dijeron: "Chocolate o nada". Acepté. Si no aceptaba, me moría de hambre. Me puse a comer chocolate mañana, tarde y noche, y terminé con un ataque de hígado. ¡Un ataque así de grande! —balanceaba la trompa, desanimado—. Les tengo horror a los ataques grandes; podría haber sido un ataque pequeño, ¿no?

Puerto sintió un pesar tremendo por el elefante.

—¿Y ahora, Canarito?

—No lo sé. La verdad, no lo sé. Quise comprar cinta pegante para pegarme las arrugas: pagaba en chocolate. No quisieron. Sin las arrugas sujetas, parezco más viejo y ahora nadie me da empleo.

Estaba muy viejo, y Puerto vio en seguida que podía hacer muy bien el papel del abuelo de Angélica.

—Escucha, Canarito, ¿quieres ser actor?

—¿Cómo es eso?

—¿Quieres trabajar en una obra de teatro llamada *Angélica*?

—¿Pagan?

—Claro que pagan. Vamos a cobrar la entrada y a dividir las ganancias con todos los que trabajen en la obra.

Canarito entrecerró los ojos, desconfiado:

—Pero ¿pagan en dinero o en chocolate?

—En dinero.

—Entonces, sí.

—Necesitamos más actores. ¿No tienes algún amigo que quiera trabajar?

Canarito pensó un poco, después suspiró:

—De un tiempo para acá, he ido perdiendo a todos mis amigos. No sé dónde se meten: busco y busco y no encuentro a ninguno.

—¿Y a los conocidos? ¿También los has perdido?

Canarito pensó con más fuerza y acabó por acordarse de uno:

—Está el cocodrilo del cinturón.

—¿Crees que aceptará?

—Ah, seguro: vive siempre apretado.

—¡Vamos a hablar con él!

Se fueron.

El nombre del cocodrilo era Jurisprudencio, pero a él no le gustaba y usaba sólo la primera letra.

Jota Cocodrilo era un individuo ni muy joven ni muy viejo. Había llegado al río hacía mucho tiempo, un mes de febrero muy caluroso. Se dio en seguida un buen baño, le gustaron esas aguas y resolvió que ese lugar era suyo, y punto y se acabó. Llamó al lugar Río de Febrero, clavó en el suelo un letrero que decía PROPIEDAD PRIVADA, no dejaba que nadie entrara allí y, cuando alguien protestaba, sólo decía:

—¡Ya he dicho que este pedazo de mundo es mío, y punto y se acabó!

Y si seguían protestando, armaba un barullo tremendo. Era grande, con una cola enorme, y ganaba todas las peleas.

El cocodrilo tenía una mujer que hablaba tan poco que nunca llegó a decir cómo se llamaba. Y entonces todo el mundo la llamaba Mujer de Jota. Cuando se ponía nerviosa, le daba por estornudar. Bastaba sin embargo que diera un estornudo para que el cocodrilo se peleara con ella (a él le fastidiaban los estornudos). La pareja tenía tres hijos, que a causa de las peleas del padre se casaron muy pronto y trataron de irse en seguida de allí.

Con aquella historia de que vivía peleando, ya nadie le quería dar empleo a Jota. Entonces, cuando las cosas se ponían muy difíciles —con la comida que escaseaba en la casa, y la mujer que estornudaba muy de prisa para tener tiempo de estornudar bastante—, el cocodrilo no tenía más remedio que vender un pedazo de la cola. Se le fue gastando, se le fue gastando, hasta que un día la cola se acabó.

De ahí en adelante, Jota comenzó a perder en todas las peleas y ahora sólo peleaba con la mujer, o cuando lo llamaban Cocodrilo sin Cola. Ahí sí: perdía el control, se enfurecía, armaba en seguida una pelea y acababa recibiendo un montón de golpes.

Cuando Puerto y Canarito llegaron a Río de Febrero, Jota miró la barriga del elefante y frunció la cara. Era siempre así: se sentía morir cuando veía un pedazo suyo convertido en cinturón. No respondió al saludo de ninguno de los dos, y cuando oyó a la mujer pedirle a la visita que se sentara, se puso en seguida a gritar:

—¡No hace falta, no hace falta! ¡Si alguien tiene algo que decir, que lo diga de prisa, de pie, y que después se vaya!

Puerto se sintió molesto con la actitud del cocodrilo, pero después pensó: "Quién sabe si es así porque su vida es difícil"; vio que el cuerpo de Jota se acababa de repente, sin ninguna cola que le pusiera un punto final; pensó: "Caramba, si se ha nacido con cola, debe ser horrible quedarse sin ella"; le dio pesar del cocodrilo, y así se le fue el enfado e invitó a Jota a trabajar en el teatro. Le contó cómo era la obra, y a cada momento el cocodrilo interrumpía para preguntar:

—¿Me estás ofreciendo empleo de verdad? ¿Y además de artista? ¿No es un engaño? —y cuando vio que era así, que no había ningún engaño, se puso tan feliz con la idea que se olvidó de la cola, del mal humor, de todo.

—¡Acepto! No hace falta que cuentes nada más. ¡Acepto, sí! ¡Claro que acepto! Dame un abrazo, Puerto. Tú también, Canarito, un abrazo.

Y los abrazaba a los dos, abrazaba a la mujer, se abrazaba a sí mismo.

A Puerto le gustó la idea y también se abrazó. Después abrazó a Canarito, y Canarito abrazó a Jota, y Jota abrazó a la mujer, y la mujer se abrazó, y de repente los cuatro ya no dejaban de abrazarse y de encontrar en aquella historia una gracia tremenda. Hasta que Puerto se volvió a la Mujer de Jota y le dijo:

—Yo también quisiera que usted trabajara en la obra para hacer el papel de mamá de Angélica.

Ya está: bastó haber dicho aquello para que Jota dejase en seguida de abrazarse y enfurruñara la cara de un modo increíble.

—¿Usted quiere? —le preguntó Puerto a la señora.

La Mujer de Jota saltaba:

—¡Ah, qué bueno, qué maravilla, claro que quiero! ¡Adoro el teatro!

Y cuando acabó de decir esto se sintió avergonzada de haber hablado tanto y decidió que era mejor reír y no decir nada más. Pero como el habla quería salir, tropezó con la risa que venía entrando, y la Mujer de Jota se atoró toda. Puerto y Canarito le dieron unas palmaditas en la espalda para ver si se le pasaba el ahogo. Al cocodrilo no le gustó:

—Dejen que yo la golpee: la mujer es mía.

Y golpeó con tanta fuerza que el ahogo se aterrorizó y se quedó quieto.

Puerto dijo entonces que los ensayos comenzarían al día siguiente, concertó el lugar y la hora, y ya se iba cuando Jota anunció:

—Pero yo voy solo: mi mujer se queda en casa.

—¡Ah, Jota! —dijo la mujer toda triste. Quiso decir mucho más, pero las palabras se le trancaron en la garganta y lo que consiguió salir fue sólo una lágrima muy pequeñita.

—¿Ah, qué? El lugar de la mujer es en la casa cuidando de los hijos, ¡punto y se acabó! ¿No es así, Canarito?

—Bueno...

Puerto se metió en la conversación.

—Pero sus hijos ya se casaron y se fueron...

—Entonces cuidando las ollas, ¡punto y se acabó! ¿No es así, Canarito?

—Bueno...

Jota empezó a irritarse, queriendo ya armar pelea:

—¿Bueno, qué? ¿Es así o no es así?

Sin saber qué decir, Canarito comenzó a balancear la trompa. Estaba en una duda enorme (precisamente él que les tenía horror a las dudas grandes).

—¿Es así o no es así?

—No lo sé, Jota... No lo sé.

—Pues si no lo sabes, es porque eres un burro.

Canarito se enfadó:

—Ah, no tienes por qué ofenderme.

De reojo, Puerto veía las lágrimas que la Mujer de Jota iba derramando en el suelo.

Se puso nervioso y se metió otra vez en la conversación:

—¿Quieres saber una cosa, Jota? No eres justo.

—No te he preguntado nada: estoy hablando con Canarito.

—Pero la cuestión es que no resisto quedarme viendo cómo dices bobadas.

—¿Bobadas? ¿Tú estás diciendo que yo estoy diciendo bobadas?

—Sí.

—¡Repítelo, repítelo!

—Estás diciendo bobadas, sí, señor. Esa historia de que tú puedes ir a trabajar en la obra, y tu mujer —que está loca por trabajar también— tiene que quedarse dentro de la casa cuidando las ollas todo el día es una historia bastante anticuada.

El cocodrilo se puso como una fiera:

—La mujer es mía, la casa es mía y las ollas son mías. No tienes por qué meterte en eso, ¿has oído?

—Pero, Jota, ese asunto de que la mujer no puede trabajar era antes.

—¡Para mí sigue siendo así! ¡Punto y se acabó!

—Y hay más: si ella trabaja, ganarán dos veces en vez de una, y la vida de ustedes mejorará. Piénsalo.

—No voy a pensarlo.

—Y hay más, ¿sabes? Creo que deberías pedirle disculpas a Canarito por haberlo llamado burro.

—No se las pido.

—Y hay más...

Pero en ese momento Jota gritó:

—¡Basta! ¡No quiero saber nada más!

Agarró a la mujer y fue desapareciendo con ella dentro del agua.

Puerto y Canarito se quedaron parados, mirándose las caras.

—Individuo malcriado —rezongó el elefante—. Sólo sirve para cinturón.

De repente, Puerto decidió enfadarse:

—Ah, esto no va a quedarse así —se acercó a la orilla del río y gritó:

—Y hay más, Jota: los papeles del padre y la madre de Angélica no se pueden separar: o comienzas a trabajar mañana con tu mujer o no hay trabajo para ti.

Puso cara de Jota Cocodrilo y dijo:

—¡Punto y se acabó!

Le guiñó el ojo a Canarito, Canarito hizo lo mismo, y los dos se fueron.

Napoleón González era un sapo que vivía creyendo. Cuando le preguntaban su opinión, pensaba un poco y después decía "Creo esto, creo aquello", no le gustaba no creer nada. Con esa manía de vivir creyendo, una de las cosas que creyó fue que creía que para ser feliz tienes que trabajar en lo que te gusta.

Hubo un año en que le ofrecieron un montón de dinero para que anunciara una pasta de dientes en la televisión. A él no le gustaba anunciar ni le gustaba esa pasta de dientes: no aceptó el trabajo. Pero la mujer de Napoleón González —que se llamaba Mimí de las Pelucas, y que vivía en la peluquería haciéndose peinar las pelucas y comprando ropa y comprando perfumes y queriendo comprar el día entero y siempre infeliz y siempre diciendo que su vecina tenía más cosas que ella y siempre queriendo tener más dinero para comprar más— tanto habló, tanto reclamó, tanto peleó con Napoleón González, que él acabó en la televisión anunciando dentífrico y sintiéndose terriblemente infeliz.

Mimí se gastó todo el dinero en la peluquería.

Otro año le ofrecieron a Napoleón González un sueldo enorme para que fuera gerente de una fábrica de ratoncitos enlatados. Él dijo que no le gustaba la comida en lata y no fue. Mimí de las Pelucas lloró, peleó, dijo que quería más pelucas, dijo que era una infeliz porque sólo tenía diez pares de zapatos y la vecina tenía quince y armó tal gritería, que Napoleón González acabó yendo. Y mientras él trabajaba el día entero en la fábrica, Mimí de las Pelucas compraba, compraba, sólo paraba de comprar para ir a la peluquería. Hasta que un día, Mimí de las Pelucas se quedó tanto tiempo debajo de uno de esos secadores que usan los peluqueros, que se le secó la peluca, la cabeza, toda Mimí se secó y se murió.

Como no tenía a nadie con quién dejar a los siete hijos pequeños, Napoleón González comenzó a trabajar en casa; como le gustaba mucho trabajar con madera, resolvió ser ebanista, y como vivía loco por el teatro, se compró unos libros para estudiar de noche. Ganaba poco dinero, pero vivía muy feliz, y disfrutaba cada día hasta no poder más. Adoraba a los niños; vivía charlando con ellos y jugando horas y horas a comenzar a creer. ¿Qué creen de esto?, ¿qué creen de aquello? Y una de las cosas que los niños en seguida creyeron fue que creían que el padre era lo máximo.

Cuando Angélica llegó a la casa de Napoleón González encontró al sapo aserrando madera para hacer un armario, y a los niños jugando a abrir caminos en el aserrín que iba tapando el suelo.

—¡Hola, Napoleón! ¿Te acuerdas de mí?

Angélica conoció a Napoleón González y a Mimí de las Pelucas tocando la flauta en una fiesta. Hablaron de música, el sapo le contó que tocaba el trombón, Angélica le dijo que quería formar una banda, a Napoleón le encantó la idea, dijo que quería formar parte, pero Mimí de las Pelucas vio en seguida que esa banda no daría mucho dinero, y entonces habló tanto, armó tal gritería, que Napoleón González acabó desistiendo.

—¡Claro que me acuerdo! ¿Tú estás bien, Angélica? ¿Cuánto tiempo hace, ah? Mira, ésos son mis muchachos.

Angélica y los sapitos se entendieron en un momento, y los siete comenzaron a contar todo lo que creían y hacían. El mayor —llamado Repollo— era el más hablador de todos, y el menor —Rabanete— tenía la manía de tragarse todo lo que podía (y lo que no podía) ser tragado. Cuatro de ellos— Pimentón, Pepino, Nabo y Ají— ya estaban aprendiendo a creer. Sólo uno —Fríjol— creía que creer era muy difícil: pensaba, pensaba y acababa siempre diciendo: "No lo sé". Sólo cuando los niños acabaron de preguntar y contar todo lo que creían, Napoleón entró en la conversación:

—Cuéntame, Angélica: ¿qué hay de nuevo?

—Lo nuevo es que estamos haciendo un teatro y vine a invitarte a trabajar.

—¡No bromees!

—En serio.

—¿Quiénes lo están haciendo?

—Puerto y yo.

—¿Quién es Puerto?

Angélica vio que tenía una cantidad de cosas que contar. Bebió agua, se afirmó bien en una sola pata, y comenzó por el principio: la vida que llevaba en el país donde había nacido, la llegada al Brasil, el encuentro con Puerto, la idea que él le dio, y después contó cómo era toda la obra.

Napoleón González estaba muy entusiasmado.

—¿Y qué papel hago yo?

—Mi hermano.

—¿Cuál de ellos?

—Pues ésa es la cosa, Napoleón: estamos pensando en cambiar la obra y sólo poner un hermano en vez de ocho.

—¡Ah! —dijo toda la familia González (y Rabanete aprovechó la abertura del

¡ah! para tragarse una mosca que pasaba), bastante decepcionada con la idea.

—¿Y por qué? —preguntó Ají.

—Para disminuir el número de actores. Vamos a dividir las ganancias de la obra entre todos los que actuemos; si trabaja mucha gente, queda muy poquito para cada uno.

—¡Ah, pero es una lástima! —dijo Napoleón González—. ¿Y cómo va a funcionar el trencito sólo con un actor?

—Pues sí: el tren se va a tener que acabar.

—¡Ah! —y los González se quedaron aun más decepcionados.

Fue más o menos en ese momento cuando Repollo creyó que trabajar en el teatro debía de ser algo muy emocionante. Por la cara de los hermanos, vio que ellos creían lo mismo. Se volvió hacia Angélica y dijo:

—Escucha, yo creo esto: En vez de que papá vaya a trabajar al teatro y esté preocupado porque nos quedamos solos, nos lleva con él a tu obra. ¿Nos dejas?

—Claro que los dejo, Repollo.

—Bien. Gracias. Pero, mira, hay una cosa: papá siempre está diciendo que favor con favor se paga. Entonces nosotros vamos a pagar así: en vez de quedarnos parados en el teatro, como tontos sin hacer nada, haremos gratis el papel de tus hermanos. Y si es gratis, no tienes que quitar ningún hermano. ¿Bien?

Antes de que Angélica respondiera, Pimentón dijo:

—Creo que es una idea muy buena. Sólo que yo creo que debe ser medio aburrido trabajar gratis.

Nabo creía lo mismo. Ají creía que no. Rabanete aún no sabía qué creer, y Fríjol pensó y dijo:

—No sé qué voy a creer.

Pero Pepino creyó lo siguiente:

—Pues yo creo que si somos pequeñitos, ganamos algo pequeñito y punto.

Angélica se rio, le gustó el razonamiento. Dijo que sólo faltaba que Napoleón González aceptara y aprobara la idea de Pepino. Y cuando Napoleón aceptó, los sapitos comenzaron a saltar por la casa, en una juerga increíble.

Capítulo X
Los ensayos

Cuando al día siguiente Puerto y Angélica llegaron al teatro que habían conseguido para ensayar, se encontraron con el elefante esperando en la puerta.

—Has llegado pronto, Canarito.

—Tengo prisa de ganar dinero.

—Pero sólo vamos a ganar el día de la representación.

—Lo sé, y por eso quiero comenzar de una vez: para llegar en seguida a ese día.

—¡A mí nadie tendrá que esperarme! —fue anunciando desde lejos Napoleón González. Venía con todos los hijos, a cual más alegre.

Repollo echó en seguida el ojo al cinturón de Canarito:

—¡Caramba, qué cinturón más bonito!

Y Rabanete se volvió loco de ganas de tragarse la hebilla.

El elefante se acarició el cinturón:

—Está a sus órdenes. Pero sólo para mirarlo: sin este cinturón yo no soy elefante.

Angélica presentó a todo el mundo y no perdió tiempo: comenzó a distribuir los papeles. Canarito hacía de abuelo, Puerto era el explicador, Napoleón González era Lux, que de todos los hermanos era el papel más difícil de hacer. Repollo hacía de Lutero, y los otros hijos del sapo hacían de Lumbre, Ludo, Luis, Lucas, Luna y Luva.

—Jota Cocodrilo está demorándose —dijo Canarito.

Angélica y Puerto se miraron. Tenían casi la certeza de que el cocodrilo no iba a aparecer. Debía de haber quedado furioso con lo que le había dicho Puerto: "o trabaja también tu mujer o no tienes por qué aparecer en los ensayos".

—Entonces, hay que comenzar sin ellos —resolvió Puerto—. Vamos al escenario.

Angélica iba ayudando a los actores a memorizar los parlamentos y Puerto iba mostrando dónde tenía que quedarse cada uno a la hora de decir esto o aquello.

El ensayo ya iba adelantado cuando Canarito codeó a Puerto: había visto la cara del cocodrilo que asomaba detrás de una silla del teatro. Se paró el ensayo.

—¡Eh, Jota! —gritó Puerto—. ¿Qué estás haciendo ahí escondido?

El cocodrilo, entonces, decidió aparecer. Estaba totalmente enfurruñado y caminaba a más de un metro delante de la mujer. Se paró en medio del escenario y, sin saludar a nadie, rezongó malhumorado:

—Sólo vine y sólo dejé que mi mujer viniera porque la situación de dinero en casa está apretadísima.

Pimentón lo miró muy espantado, y dijo:

—Huy, papá, mira, el cocodrilo no tiene cola. ¿Se le habrá olvidado en casa?

Preciso: Jota se enfadó:

—Si alguien dice otra vez que no tengo cola, le pego. Le pego de verdad, ¿oyeron bien?

La Mujer de Jota estornudó dos veces y ya iba a estornudar por tercera vez, cuando él gritó:

—¿Quieres hacer el favor de dejar de estornudar?

Ella estornudó.

—¿Quieres hacer el favor de parar?

Ella se sintió tan desconsolada por aquellos malos modos del marido delante de toda la gente, que estornudó tres veces más. Porque lo que ocurría era lo siguiente: cuanto más se obstinaba Jota con los estornudos de la mujer, tanto más se obstinaban los estornudos de la mujer con Jota, sólo para contradecir. La pobre Mujer de Jota no tenía la menor culpa en toda esa historia.

—Por última vez: ¡Para!

A toda prisa, Puerto presentó a Angélica y a la familia de Napoleón González, para ver si todo el mundo se olvidaba de los estornudos. Se olvidaron. Puerto, entonces, anunció:

—Y ahora vamos a trabajar. De aquí en adelante ya no podemos perder el tiempo con nada.

Se encontraban todos los días, y ensayaban todo el día.

Napoleón González y la Mujer de Jota, haciendo de Lux y de la madre, eran los actores más graciosos. Hacían de una manera tan divertida la escena en la que ella está tejiendo y Lux va halando el hilo escondido, que el grupo tenía que parar de ensayar de tanta risa. Hasta Jota acabó olvidando el malhumor y soltando unas carcajadas cocodrilescas que hacían que todos se rieran aun más. Otra escena que quedó regia fue la escena del final, cuando Angélica va entrando en el huevo y la familia la hala hacia atrás: la caída de todos cuando el tiempo comienza a andar hacia adelante otra vez era una caída muy bien hecha.

Cada vez que Repollo pitaba uuuuuu y el trencito de los hermanos aparecía, Puerto y Angélica vibraban: Napoleón González y los hijos habían ensayado tanto el chucuchucu del tren, que el resultado era una delicia. Pero un día Rabanete chilló:

—¡Creo algo!

Todo el mundo aplaudió: era la primera vez que Rabanete creía. Puso una cara muy importante y dijo:

—Creo que deberíamos inventar aun más piruetas para el tren.

—Adelante, inventa —le dijo el padre en seguida.

Y Rabanete inventó. Invento unas curvas que el tren hacía en el camino; inventó también una forma de juntarse y de apartarse que hacía que el tren pareciera un acordeón. Luego, Napoleón González, a quien también le gustaba mucho imaginar cosas, inventó un movimiento de patas, para que los ocho lo hicieran juntos, que era igualito a un movimiento de ruedas. Y con esa historia de inventar aquí, inventar allá, la Mujer de Jota se entusiasmó toda y decidió:

—¡Yo también quiero inventar!

Jota puso mala cara: ya había dejado que la mujer trabajara, pero no iba a dejarla inventar; ¡de ninguna manera!

—El que inventa es el marido, deja que yo invente —rezongó, y comenzó a imaginar lo que inventaría.

Esta vez la Mujer de Jota no se conformó, y se puso a inventar un montón de cosas. Inventó un traje, para usarlo en la obra, que era para morirse de risa, inventó una manera graciosísima de quedarse parada sobre una sola pata (como lo hacen las cigüeñas), balanceando el cuerpo de un lado a otro como si se fuera a caer en cualquier momento, inventó un tic de dar unas sacudidas de cabeza cuando menos se esperaba, y después comenzó a ensayar lo que había inventado. El grupo la miraba, se reía, y cuando Jota se dio cuenta ya estaban todos aplaudiendo las invenciones de su mujer.

La moda de inventar tuvo éxito. Todo el día inventaban cosas nuevas para añadírselas a la obra. Puerto le consiguió al

explicador una corneta viejísima que sonaba con una ronquera tremenda. Quiso tocarla. No había forma. Entonces escribió en la corneta: Estoy ronca porque estoy resfriada.

Y hubo un día en que, de repente, Puerto dejó de ensayar y, sin más ni menos, comenzó a deshacerse de la ropa que siempre usaba. Se quitó el sombrero, arrancó las flores, las conchitas, después fue arrancando todos los dibujos uno por uno y arrojando lejos todo eso. Los hijos de Napoleón González abrieron unos ojos así de grandes. Y enseguida se pusieron a creer:

—Creo que Puerto está inventando un estilo de puerco para el explicador.

—Creo que él está inventando un estilo de puerco para sí mismo.

—Pues yo creo que él era un puerco que había inventado una manera de no ser puerco y ahora se está volviendo puerco de nuevo.

—Yo creo que lo que está haciendo se llama desinvento.

—Pues yo creo que él es puerco y que es Puerto, y punto.

—Creo que estoy a punto de creer en algo fantástico —dijo Rabanete—. ¿Y tú, Fríjol? ¿Y tú qué crees?

Fríjol pensó y pensó: ¡Qué difícil era creer!

—No sé —respondió.

Puerto suspiró satisfecho: había arrojado bien lejos aquel disfraz que cuando era pequeño inventó. Sabía muy bien que la vida de puerco era muy difícil, pero de repente había sentido un estallido de valor por dentro y había decidido hacer como Angélica: dejar de fingir algo que no era. Solamente el nombre no lo tocó: creyó que podía ser un puerco llamado Puerto. El ensayo continuó, y Canarito decidió:

—Voy a hacer un reloj grandote de cartón. Cada vez que diga que es la hora de alguna cosa, voy a sacar el reloj de dentro de la ropa —y comenzó a divertirse con la cara que tendría el reloj.

A Canarito le estaba gustando tanto ese trabajo que ya se había olvidado hasta de la historia de pegarse las arrugas y formar rollitos. ¡El elefante se comenzó a sentir tan joven!...

Cada día que pasaba, arreglaban un detalle más de la obra, para que saliera bien. Con aquella manía de imaginar, iban disfrutando cada vez más los ensayos. Todo fue andando tan bien, tan agradable, que cada fin de semana, cuando acababa el ensayo, se iban cantando la musiquita de la obra:

Marcha, cigüeña,
y aprende esta lección:
Nuestro teatro
no es una broma.
¡Es una gran emoción!

Hasta Jota acabó encantado con el trabajo y, después de mucho romperse la cabeza, inventó lo siguiente:

—El padre de Angélica vive hablando de respeto, ¿no? Pues he decidido que cada vez que hable de eso, en vez de decir respeto con una sola *r*, va a decirlo con cinco. Así: rrrrrespeto. Una idea genial, ¿no?

Por la cara de la gente, nadie creyó que la idea fuera muy genial, pero aun así, el respeto del padre de Angélica se convirtió en un respeto de cinco erres.

Un día la obra quedó lista. Entonces prepararon unas pancartas y unos carteles, y salieron por la ciudad anunciando el espectáculo. Puerto, que ya tenía práctica en anunciar, iba al frente llamando la atención de todos con toques de la corneta resfriada y gritos de "¡Vengan todos, vengan a ver!" Angélica llevaba la bandera que habían hecho para la obra. Napoleón González y sus siete hijos andaban todos juntos, cargando una pancarta que decía:

ANGÉLICA ES UNA OBRA QUE NADIE SE
DEBE PERDER.
ES TAN MARAVILLOSA QUE USTED LA
TIENE QUE VER.
EL DOMINGO A LAS CUATRO DE LA TARDE
EN EL TEATRO DE LA ESQUINA.
NIÑOS Y ANIMALES: DESCUENTO DEL 50%.

Después venía Canarito sujetando con la trompa un cartel con el nombre ANGÉLICA escrito de todas las maneras posibles. Y por último, el cocodrilo y la mujer. Él llevaba un cartel así:

ANGÉLICA NO ES COMO LA GENTE. NO
TIENE BRAZOS, NO TIENE DIENTES.
¿QUÉ ES ELLA, PUES?
¡ES UNA EMOCIÓN CALIENTE!

Para que nadie advirtiera la falta de la cola, se tapó con unas hojas y parecía un animal misteriosísimo.

La Mujer de Jota iba sujetando un paraguas torcido, donde había escrito:

¿QUIÉN ES ANGÉLICA? ¿QUIÉN ES? ¿QUIÉN ES?, y un montón de signos de interrogación dibujados. Estaba tan feliz con el trabajo y con la nueva vida, que aquel día cuando salió de casa dejó todos los estornudos dentro del cajón: no se acordó de llevarse ninguno.

Capítulo XI
La representación

Eran las cuatro cuando comenzó la obra, y el teatro estaba lleno.

Cuando Puerto entró en el escenario haciendo el papel de explicador y dijo aquella primera frase: "Señoras, señores, niños, animales de todas las especies: ¡Buenas tardes!", estaba tan cansado que no podía hablar bien. También, pobre, desde muy temprano no había parado, preparando las cosas que iban a usar en escena, preocupándose por las entradas, ayudando a Angélica y a los otros actores a dar los últimos retoques a los trajes, asistiendo a Canarito, que estaba tan nervioso que se le disparó el corazón. Y a última hora, cuando el espectáculo ya iba a comenzar, Puerto aún tuvo que ir corriendo a la farmacia a llevar a Rabanete: se había tragado el botón que abotonaba las ideas[9].

—Hoy vamos a presentar una obra llamada *Angélica*. La obra tiene dos actos: el primero de noventa centímetros y el segundo de un metro diez. Como en la vida la gente siempre presenta...

A medida que los actores se iban presentando, Puerto se fue calmando, el corazón se le sosegó, y de repente comenzó a disfrutar la obra como disfrutaba los ensayos.

Canarito seguía nervioso. Después de presentarse, en vez de salir por el lado, salió por delante: no vio los escalones que separaban el escenario de la platea, se cayó al suelo y no conseguía levantarse solo de ningún modo. La obra, entonces, tuvo que parar. Los actores fueron a ayudar al elefante, él se levantó y la obra continuó. El público se portó muy bien porque fingió que no lo había visto. Sólo un grupito sentado en la última fila se echó a reír.

---

9 Lo vomitó. Y el botón volvió a la cajita.

Jota se olvidó de ponerle las cinco erres al respeto. Y la voz le salía tan bajita que a cada rato le pedían desde la platea: "Habla más alto, ¿sí?" Entonces comenzaba a gritar como un loco y el público no tenía otro remedio que pedirle: "Habla más bajo, ¿sí?"

El sol se cayó dos veces al suelo (el clavo era corto).

Rabanete se tragó un parlamento.

En el momento de nacer, Angélica saltó fuera del huevo con tanta fuerza que un pedazo del huevo de cartón voló lejos y fue a caer en la cabeza de una señora que estaba sentada en la primera fila. Pero ella no hizo caso. Ni ella ni ninguno de los que estaban cerca. Sólo el grupito sentado en la última fila comenzó a chiflar. Puerto miró hacia el fondo del teatro y tuvo un gran susto: los que estaban allí perturbando eran los macacos. Los de siempre. Aquéllos de la escuela y del restaurante. En efecto, eran ellos mismos. Riéndose a morir de todo lo que salía mal. Haciendo fuerza para que las cosas salieran peor.

Y eso pasó. Fue poco después de que Angélica naciera, en el momento en que toda la familia hace fila para ir, cada uno, dándole un nombre.

Canarito pisó una punta del traje de Jota (no lo vio, claro). Cuando Jota fue a andar, ¡brrrr!, el traje, que era de papel finito dibujado con plumas de cigüeña, se rasgó todo de arriba a abajo.

Una niña de la segunda fila abrió los ojos desmesuradamente y dijo:

—Mira, mamá, el cocodrilo no tiene cola.

Ya no hizo falta nada más: los macacos decidieron que era el momento de perturbar aun más. Saltaron hacia el escenario y comenzaron a gritar:

—Cocodrilo sin cola, cocodrilo sin cola, cocodrilo sin cola...

¡Para qué! Jota perdió la cabeza. Se olvidó de la obra, del público, de todo, saltó fuera del escenario, se agarró con los macacos. Su mujer se horrorizó. Fue detrás de él, pidiéndole:

—¡Para, Jota! ¡No es hora de pelear! ¡Deja a esos macacos! ¡Por favor! —y quería arrastrar al cocodrilo, pero no podía porque estornudaba tanto que no era capaz de hacer otra cosa que no fuera estornudar.

Angélica, Puerto, Napoleón y los sapitos corrieron a detener la pelea.

Sólo Canarito se quedó en el escenario: estaba demasiado nervioso para hacer cualquier cosa (y si había algo que a Canarito le fastidiaba era un nerviosismo grande).

Costó mucho calmar a Jota y acabar con la pelea. Pero lo consiguieron.

Los macacos volvieron a su lugar y los actores arrastraron al cocodrilo de vuelta al escenario. El público fue formidable: fingió que no había visto nada. Pero entonces Jota dijo que no representaba más, y punto y se acabó. Al principio todos pensaron que sería una broma. Pero él dijo:

—No voy a quedarme aquí con el traje rasgado, con todo el público viendo que no tengo cola. Enfurruñó la cara, clavó los pies en el suelo y punto. Ahí el público perdió la paciencia. Comenzaron las protestas:

—¡Hemos pagado la entrada!

—Si el cocodrilo se obstina en no representar más, ¿qué va a pasar?

—¡Queremos ver la obra hasta el final!

Los actores le susurraban a Jota que estaba haciendo un papelón.

—Anímate —le pedían.

Pero él no se animaba. Y decía:

—Quiero un traje nuevo.

No servía de nada explicarle que no era hora de trajes nuevos; no servía de nada hablar, regañar, pedirle al cocodrilo que tuviera cordura; no servía de nada que el público reclamara: Jota no oía ni se movía, y ya nadie sabía lo que iba a hacer.

De repente, Canarito tuvo una idea. Una idea que lo entristeció. Pero aun así sacó la idea adelante: se quitó el cinturón de la barriga, lo miró bien, le hizo una caricia a la hebilla y se lo dio al cocodrilo.

—Toma mi cinturón de regalo, Jota. Cuélgatelo en el lugar de la cola. Queda como una cola finita, pero mucho mejor que ninguna. Y tiene otra ventaja: es de ti mismo, no es piel prestada de nadie.

Antes de que Jota tuviera tiempo de pensar en el ofrecimiento, su mujer sacó aguja e hilo de un bolsillo y le cosió el cinturón en el lugar de la cola.

Pimentón dijo:

—Da un coletazo a ver si la cola está bien.

El cocodrilo lo dio.

—¿Qué tal? —preguntó la Mujer de Jota bajito—. ¿Te gusta?

—Mejor que nada —respondió él todavía enfurruñado. Dio otro coletazo, otro, y otro más. Le gustó volver a tener cola y dio otro más. Desenfurruñó la cara y dijo—: Está bien, ahora actúo otra vez.

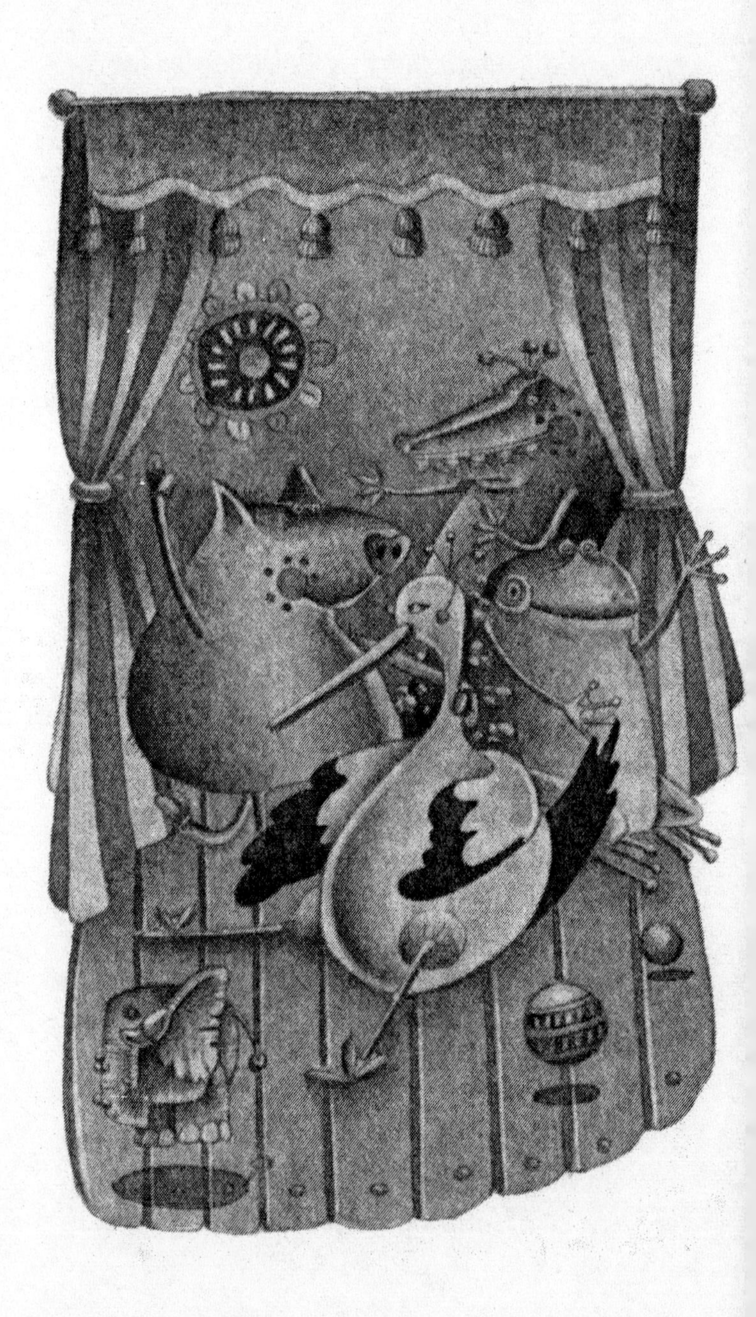

Angélica, Puerto y la Mujer de Jota se sintieron tan aliviados que terminaron riéndose. A decir verdad, el teatro entero también se rio, porque Jota estaba graciosísimo con esa cola.

Y Canarito, viendo a todo el mundo contento otra vez, se olvidó de la tristeza; se olvidó de que ahora ya nadie lo miraría y le diría: "¡Qué cinturón tan fantástico!" y la representación continuó.

Fuera de eso, el primer acto transcurrió tan bien que fue una maravilla. Durante el intermedio, los actores se quedaron pensando en los macacos, en la pelea y en las otras cosas que no habían salido bien. Por la cara y la actitud de cada uno se veía claramente que estaban decidiendo en silencio que de ahí en adelante harían el mayor esfuerzo del mundo para no equivocarse en nada más. ¡Sería tan bonito darle al público una representación ciento por ciento!

Debieron haber decidido aquello muy bien decidido, porque los macacos se quedaron todo el segundo acto esperando un error. Uno solo. Pero no salió ninguno. Ni uno muy pequeñito. ¡Al público le encantó! No dejaba de aplaudir. Y hasta había gente que pedía bis, cuando se oyó un grito en el fondo de la platea:

—¡Angélica!

A Angélica se le pusieron las plumas de punta: era la voz de Lux. Pero del Lux de verdad. Del hermano que se había quedado en el país donde ella vivía.

Lux vino volando por el teatro, Angélica bajó corriendo del escenario, y bastó que se encontraran para no dejar de abrazarse.

—¿Cómo has venido a parar aquí, Lux?

—Estoy en viaje de luna de miel por América del Sur. Resolvimos aprovechar y venir a visitarte al Brasil.

—¿Cuándo llegaste?

—Hoy por la mañana. He preguntado por ti en todas partes. Por fin supe que estabas aquí. Entramos a ver la obra, y me di un susto tremendo cuando vi que era tu historia; tuya y mía; y del abuelo y de mamá y de todos los de casa. ¡Me pareció tan divertido verme en una obra!

Y en ese momento presentó a su mujer, una cigüeña muy graciosa llamada Miosotis.

Todos los actores rodearon a Lux y a Miosotis. Napoleón González quiso en seguida saber si Lux creía que había representado bien a Lux, pero Angélica hacía tantas preguntas que él no podía responder:

—¿Y papá? ¿Y mamá? ¿Y mi cuarto? ¿Y la luna que nace enfrente de la ventana de la sala? ¿Y la bandera de doña Avestruz?

Lux contó que después de irse Angélica, él había comenzado a pensar. Se pasaba todo el día pensando, y acabó también por creer que ya no se podía vivir de aquel modo. Y explicó que no era sólo él: Luva y Luis también estaban cambiando. Con Miosotis nunca había tenido problemas; ella siempre había creído que no se puede vivir queriendo ser algo que no se es. Conversación va, conversación viene, Lux preguntó:

—¿Por qué no nos vamos a cenar todos juntos para celebrar el estreno de la obra?

Los actores se quedaron quietos, sin saber qué responder. En aquella estrechez en que vivían siempre, todos tenían unas cuentas atrasadas que debían poner al día con el dinero del teatro. Pero cuando Miosotis dijo:

—Estamos invitando *nosotros*, así que...

Todos salieron corriendo, sin esperar que terminara de hablar.

En el restaurante adonde fueron a cenar sirvieron un plato impresionantísimo: era un plato con un montón de pisos.

En el primer piso venían todas las ensaladas (¡y eran unas hojas así de grandes!).

En el segundo piso, pescaditos, camaroncitos y, además, una picadita de insectos.

En el tercer piso venían las carnes y algo diferente que parecía farofa, pero que no era farofa, y que cada uno creyó que era una cosa, y se quedó todo el mundo sin saber qué era. Fue en ese piso en donde por primera vez Canarito advirtió el nudo que Puerto tenía en la cola. Se quedó preocupado. Habló bajito (porque no quería llamar la atención de nadie sobre ese nudo):

—Qué difícil debe ser vivir con un nudo en la cola; o en la pata; o en la trompa; o en las ideas; o en cualquier lugar. ¿Por qué no te lo quitas, Puerto?

Puerto tampoco quería que los otros se fijaran en el nudo, y por eso respondió cuchicheando y de prisa:

—No sale: es ciego.

—¿Una ceguera grande?

—Enorme.

Ya está: Canarito perdió el apetito. Si había algo que le fastidiaba era una ceguera grande. En seguida se dio cuenta de que si el nudo continuaba allí, él ya no conseguiría comer.

—Pero ¿has probado ya a quitártelo?

—Antes vivía probando. Nunca acertaba. Entonces desistí.

—Prueba otra vez.

—¿Ahora?

—Sí. Todo el mundo está comiendo: nadie se dará cuenta.

—Pero hace cosquillas.

—¿Muchas?

—Para mí, es lo que más cosquillas me hace en la vida.

—Mucho mejor sentir cosquillas que vivir con un pedazo de uno apretado en un nudo que no se desata.

—Bueno..., eso es verdad...

Puerto se quedó pensando en eso, y de repente sintió una curiosidad tremenda. ¿Y si probaba otra vez? ¿Quién sabe si el nudo se desataba? Comenzó a darle unas vuelticas a la cola para ver si el nudo tomaba impulso y se iba deshaciendo. Cada vuelta le hacía más cosquillas que la anterior. Le fueron dando unas ganas locas de reír, pero no quería que nadie viera lo que estaba haciendo y, entonces, cerró la boca, los ojos y la nariz, para que la risa no pudiera salir.

En el cuarto piso, Lux y Miosotis decidieron que iban a llevar a *Angélica*, para representarla en su país. Angélica se emocionó:

—¿Has visto qué maravilla, Puerto?

Pero Puerto no pudo responder porque casi se estaba reventando de tantas ganas de reír.

Angélica prometió que en cuanto acabara la comida desenterraría la caja de zapatos para tomar la idea de la obra y dársela a Lux y a Miosotis. Después decidió que era mejor que se llevaran la idea con caja y todo.

En el quinto piso, Jota vio un espejo, al fondo del restaurante, y no resistió: dejó la comida y fue a admirarse frente al espejo. ¡Estaba tan feliz de haberse unido otra vez a un pedazo suyo!

Cuando llegó al sexto piso, Puerto se sacudía tanto con las cosquillas, que Canarito no aguantó más: también a él comenzó a contagiársele la risa. En ese momento Napoleón González se levantó y puso cara de discurso. Todo el mundo dejó de comer (hasta Rabanete) y lo miró. Él se pasó la servilleta por la boca y dijo:

—Lux está diciendo que debo echar un discurso, los muchachos también, todos dicen que una comida de éstas necesita un discurso, a mí no me gustan los discursos, pero como ya he puesto cara de discurso, la cosa es ahora ponerle cuerpo y patas. Mi discurso tiene seis líneas, comienza con una línea corta, hay cuatro más o menos largas y la última cortísima.

Angélica y Puerto:

—Todos nosotros queremos decirles que nuestra vida ha mejorado mucho después de haberlos conocido y de haber trabajado juntos.

Fin.

—¡Qué bonito! —gritó Angélica—. ¡Mi vida también está magnífica!

Puerto quiso decir que también su vida era maravillosa, pero vio que bastaba decir *mi* para que se le soltara la risa. Entonces metió la cara debajo del mantel. Canarito también. A los demás aquella actitud les pareció muy extraña, pero pensaron que estaban conmovidos y decidieron dejarlo así.

En ese momento la Mujer de Jota se levantó y dijo:

—Yo también quería decir una cosita. Es una cosita pequeña pero muy importante para mí.

Jota abandonó el espejo y se acercó a la mesa. Ya había dejado que la mujer trabajara, ya había dejado que inventara cosas, no la dejaría echar un discurso; de ninguna manera:

—¡El que habla soy yo!

—Un momentico, Jota. Sólo un momentico. Déjame terminar lo que estaba diciendo. Es lo siguiente: quería decirles que yo tengo nombre. Un nombre que también comienza por jota. ¡Qué coincidencia!, ¿no? Pues sí: me llamo Jacinta. Y quería pedirles a todos los presentes que no me llamen más Mujer de Jota. De aquí en adelante, todo el mundo me llamará Jacinta, ¿bien? —suspiró, aliviada y satisfecha—. Listo, era sólo eso —y se sentó.

Apenas ella se acababa de sentar, cuando Puerto gritó:

—¡El nudo se deshiiiiiiiiizo!

Fue la locura. Toda la risa que se había acumulado dentro de Puerto y de Canarito salió junto con el alarido, y los dos ya no hicieron más misterios de sus risas: se reían como nunca se habían reído en la vida, se reían haciendo un escándalo tremendo, se reían tanto que no podían explicarles a los demás lo que había ocurrido.